COLECCION DE ARTE

5

PINTORES
MEXICANOS

RAUL FLORES GUERRERO

5 PINTORES MEXICANOS

FRIDA KAHLO • GUILLERMO MEZA • JUAN O'GORMAN
JULIO CASTELLANOS • JESUS REYES FERREIRA

UNIVERSIDAD NACIONAL AUTONOMA DE MEXICO
DIRECCION GENERAL DE PUBLICACIONES
1957

IMPRESO EN MÉXICO

Derechos reservados conforme a la ley.

Copyright by
Universidad Nacional Autónoma de México
Villa Alvaro Obregón, D. F.

*A María Cecilia Guerrero
mi madre.*

PROLOGO

Este es un libro apasionado y entusiasta. Lo he escrito tratando de palpar, en el elevado muro de la crítica, las impresionantes y huidizas sombras de Baudelaire, de Ruskin, de Elie Faure, de Berenson, es decir de poetas, escritores e historiadores del arte que no se propusieron, al redactar sus libros y sus ensayos, hacer la disección, fría, racional y analítica de la obra artística, envolviendo sus conclusiones en conceptos poco inteligibles para el profano o el simple aficionado, sino que pretendieron ayudar a los lectores a "vivir" esa obra de arte y a considerarla como intensificación de la vida, según frases de Berenson.

El carácter de este libro tal vez hubiera sido diferente de no habérseme brindado la libertad absoluta de elegir a los pintores sobre cuyas obras escribo. Es cierto que me he dejado llevar, en esta selección, por mi gusto personal; sin embargo no ha sido del todo arbitraria: responde al deseo concreto de llevar a los lectores un girón, el más completo según mi punto de vista, de las tendencias y manifestaciones artísticas más importantes de México, después del grandioso estallido del muralismo representado por los continuamente nombrados "grandes" de la pintura mexicana: Orozco, Rivera, Tamayo y Siqueiros.

De los artistas incluidos en este libro, dos han muerto, Frida Kahlo y Julio Castellanos, dejándonos, la primera, el trascendental subjetivismo de su pintura, y el segundo, la singular poesía de sus obras maestras. Los demás siguen, incansables, tratando de perfilar, cada vez más nítidamente, la silueta de su personalidad en el horizonte sin término del arte. Juan O'Gorman, siguiendo la ruta de Rivera, se nos muestra en sus obras anecdótico y descriptivo; la falta de profundidad conceptual que pudiera sentirse ante ellas es suplida por otros valores estéticos que establecen el equilibrio rotundo entre los factores esenciales de toda buena pintura. Guillermo Meza es un pintor autodidacto y por lo tanto ha necesitado descubrir por sí mismo los mediterráneos de la técnica; su maestría, en constante superación, lo-

grada a base de talento y capacidades de verdadero pintor —pintor por naturaleza— son una muestra evidente de sus posibilidades para llegar a ser uno de los más sólidos valores del arte de México. Chucho Reyes es un caso especial. Nunca aprendió metódicamente el dibujo, ni el óleo, ni el temple, ni nada; sin embargo, su pintura suelta y flúida es más enfática, más intensa en su proyección estética, que la de muchos otros pintores tan plenos de tecnicismo como carentes de sensibilidad. Jamás la Historia ha exigido de los artistas un diploma para brindarles un lugar en la posteridad.

Al hacer la selección he pasado por alto a dos grandes maestros, el Dr. Atl y Francisco Goitia, debido a que su obra será tratada en monografías especiales de esta misma colección. Asimismo he dejado para otros libros el hablar de la pintura de los más importantes artistas extranjeros residentes en México y la obra de los pintores más destacados de las nuevas generaciones.

Estoy convencido de que la crítica no debe concretarse a ser una mera reseña de tal o cual exposición o a la descripción sucinta de un cuadro. No tengo el menor aprecio por la crítica puramente descriptiva. Me identifico con Wilde, quien afirma que la actitud del crítico ante la obra de arte puede ser tan valiosa, en el terreno creativo, como la actitud del artista frente a la naturaleza. Estoy con Baudelaire, quien escribe que "la mejor crítica es aquella que es divertida y poética, no esa otra, fría y algebraica, que bajo el pretexto de explicarlo todo no tiene ni odio ni amor y se despoja de toda especie de temperamento".

No dudo que entre los críticos y entre los conocedores de arte en México existan divergencias con relación a mis puntos de vista. Aun habrá quien esté en desacuerdo con la inclusión, en este volumen, de algún pintor que no satisfaga su gusto personal. Eso es inevitable en un ambiente artístico como el nuestro, caldeado por el encuentro constante de pensamientos políticos, literarios y estéticos; encuentro feliz, puesto que prueba la libertad de conciencia y de expresión de que gozamos todavía. Este libro no está dirigido a los intelectuales con prejuicios —no es un libro polémico— sino a los lectores con sensibilidad abierta, franca y sinceramente, al mensaje inefable del arte.

AGRADECIMIENTO

Considero un grato deber hacer público mi agradecimiento a los fotógrafos Dolores Alvarez Bravo, Ignacio López y José Verde, por la colaboración que prestaron para ilustrar este libro, así como a Inés Amor sus atenciones al poner a mi disposición el excelente archivo de negativos con que cuenta la *Galería de Arte Mexicano* que ella dirige. R. F. G.

FRIDA KAHLO

La columna rota. Oleo. Col. Museo Frida Kahlo. México.

Frida Kahlo. 44.

*L'art de Frida Kahlo de Rivera
est un ruban autour d'une bombe.*

André Breton.

U N mundo distinto, el de Frida: esa gran casona de Coyoacán llena de cosas disímbolas —simbólicas— desordenadas aparentemente, pero que en su disposición responden a un concepto de abarrocada armonía pueblerina. Los ídolos y las figurillas prehispánicas de Diego Rivera —su esposo, su amante, su hijo, su sol, su luna, su principio, su fin— surgen de todas partes: las sensuales mujercitas arcaicas de arcilla, con la sonrisa de su cuerpo desnudo tras las vitrinas; los ancianos dioses y los planos relieves teotihuacanos hiriendo con sus formas geométricas el naturalismo vegetal del jardín; las extrañas figuras de cerámica del occidente, madres de senos flácidos, ancianos encorvados, guerreros agresivos, enmascarados perros gordos, piezas de gran nariz que ocupan amplias estanterías y aparecen por todos los rincones, entre los muebles de mimbre y de palo del estudio, del comedor, de la biblioteca. Los *judas* apenas caben, con su acromegálica corpulencia de cartón y de papel de china, en el vestíbulo, en la escalera, en las recámaras, y las esferas, con sus brillos que añoran las viejas pulquerías de principio de siglo, rompen aquí y allá la penumbra de las habitaciones. Pinturas. Muchas pinturas. Algunas buenas, cerca del diario regocijo de los ojos. Otras malas, entre ellas los "retablos" mexicanos adocenados en alguna pieza, pinturas populares que a falta de calidades pictóricas tienen miles de referencias emotivas en su tema, de temblores ingenuos y apasionados en la línea de sus figuras, en el color de sus paisajes. Conmovedores objetos artísticos de tono menor.

La cama de Frida está en un cuarto pequeño, cubierta por un doselete señorial de madera torneada abierto en su techo por el lago de un espejo: autorretrato constante y vivo cuando ella ocupaba su lecho de enferma. El armario deja al descubierto infinidad de esos vestidos de tehuana, hechos con telas bordadas y coloridas, que Frida tan airosamente llevaba. Los floreros nunca dejan de mostrar —ni dejarán de hacerlo— sus ramilletes de flores silvestres. En un rincón, tras los reflejos de un vidrio, está el ropón con el que llevaron a bautizar a Diego, cuando era niño, y también sus botitas. Mundo mágico, impregnado de mexicanidad auténtica heredada de un lejano pasado indígena de rumorosas resonancias de *teponaxtle*, de un más cercano pasado colonial enseñoreado por la vida y el lenguaje castellano, y de un reciente pasado republicano, de banderitas tricolores y águilas de juguete erguidas sobre nopales de cerámica. Exuberante mundo, vacío desde que Frida ha muerto. El "señor Xolotl", el perro azteca de ardiente piel de elefante, negra y sin pelo, se pasea por el patio meneando el rabo diminuto y mirando a todos lados con sus ojillos tristes en inútil espera de la caricia de su dueña. En el espejo de la cama se refleja, roto, el corsé de yeso que Frida decoró con flores y figuritas coloreadas, y sobre el piso yace inútil la pierna falsa, con su botín rojo, que ella misma bordó con cascabeles para poder bailar su alegría de vivir después de la dolorosa amputación.

La vida de Frida Kahlo tuvo como hermoso epílogo (el prólogo de su muerte) un cuadro con unas sandías. Unas, intactas, rotundas, con su cáscara verde herida por la luz; otras abiertas por las dentelladas del machete, con su jugosa pulpa roja al descubierto. En un gajo la pintora marcó con su pincel unas palabras, húmedas aún por el jugo de la fruta pintada: "Viva la vida", dicen. Un mes después de pintar este cuadro Frida Kahlo murió.

La vida de Frida Kahlo es un gran cuadro dramático enmarcado por el dolor. Desde los seis años, cuando fue atacada por la parálisis, hasta el día de su muerte, el sufrimiento no abandonó su cuerpo ni tampoco dejó de estar presente en sus obras. Es más, fue a causa del accidente que la invalidó para siempre, cuando era estudiante de la Preparatoria en 1926, que se inició en la pintura: un tranvía que arrastra un autobús, como tantas veces ha sucedido; los fierros retorcidos que destrozan un cuerpo, también como tantas veces ha sucedido. Sólo que en este caso, la muerte se detuvo en seco cuando vio que su víctima, en la cama del hospital, encerrado su cuerpo en la cárcel del yeso, tomaba los pinceles que su padre le había regalado y empezaba a pintar.

Frida nació en Coyoacán. Su infancia en la casa en la que pasaría toda su vida ha quedado registrada en uno de sus cuadros. Infancia casi pueblerina, cuando Coyoacán estaba todavía rodeado de llanos, erizados de nopales y salpicados por la presencia de las humildes casas de adobe. Infancia de patio cerrado en el que la niña podía andar, aún desnuda, entre las plantas del jardín o recorrer los cuartos continuos y de altos techos en cuyos muros veía constantemente los grandes retratos ovalados de su padre, fotógrafo de profesión —Herr Kahlo—, de su madre Matilde Calderón o de sus abuelos. Imágenes inolvidables que han quedado perpetuadas en su pintura.

No es este cuadro el único que nos habla de su vida, sino casi todos los que hizo. Es una artista tan peculiar que pudo darse en su pintura un lujo que sólo los poetas se habían permitido, el de presentar artísticamente sus sentimientos y sus emociones, su alegría y su dolor, sus afectos y sus gustos personales, subjetivos, alcanzando sin embargo una proyección universal. Y es que sus temas principales, reflejo de su propia vida intensa, se relacionan con la vida de todos de manera directa y profunda. Es el suyo un subjetivismo comunicativo, aprehensible artística y sentimentalmente, que sólo pudo ser confundido con el subjetivismo cerrado del surrealismo por un André Breton, quien, en 1938, trataba a toda costa de insuflar alientos a su desmembrado movimiento y buscaba desesperadamente un eco a sus ideas sobre el arte en las obras de algún artista valioso, para demostrar con ello —como todavía ahora lo pretenden algunos escritores— que "el cadáver estaba vivo". Cuando Breton llegó a México escribió sobre la pintura de Frida: "Cuál no sería mi sorpresa y mi alegría al descubrir su obra, concebida en total ignorancia de las razones que han podido determinarnos a obrar a mis amigos y a mí". En total ignorancia y en total diferencia, puesto que los motivos, el origen, la finalidad y el carácter de las obras de Frida Kahlo es bien distinto al carácter, la finalidad, el origen y los motivos de la pintura surrealista. Las primeras están en íntimo contacto con una realidad sensible, esta última con una intangible; aquellas son la sublimación lógica y humana de un cúmulo de experiencias vitales, ésta es la sublimación de lo ilógico, pretende ser el registro automático de experiencias eidéticas y psicológicas íntimas. Frida, con poco que se preste atención, muestra en sus obras más representativas una evidente unidad, no obstante la pluralidad de motivos; hay siempre una idea, un tema central, se trate de ella misma, de la ciudad de Nueva York, de un aparador de Detroit. Y no se diga de sus obras de carácter objetivo, sino aun de aquellas que tienen una composición multiobjetiva. Esto es lo que imprime fuerza, carácter, intensidad a cada una de ellas. La pintura surrealista, en cambio, está estructurada por la conjunción de imágenes disímbolas que producen en el espectador una variedad incoherente, pero efectiva, de emociones estéticas, una riqueza de imágenes en la que están fincados los valores de las mejores obras de esta escuela. El arte surrealista parte de una abstracción mental y personal de la realidad. El de Frida de una abstracción personal también, pero sentimental y en ocasiones sensual, de la naturaleza. Es un arte dirigido a los sentidos y sólo a través de ellos, después de ellos, como lo hacen todas las artes plásticas, al espíritu, a la mente. Y considero importante establecer aquí, de una vez, la diferenciación artística de Frida Kahlo con respecto al Surrealismo, ya que, a partir del enunciado de Breton, se ha dado en considerar erróneamente a esta pintora como integrante de la escuela surrealista en sus fases últimas.

El cuadro que Frida Kahlo prefería, entre tantos que pintó, era *Mi nodriza y yo*. Cuadro que en su composición me recuerda una pintura popular desconocida, propiedad de un oscuro médico rural, en la que la Virgen lleva en sus brazos a Cristo. No es una *Pietà* tradicional, sino una *Piedad* a la mexicana. La Virgen llorosa conduce a su hijo muerto con el cuerpo lleno de heridas tremendas; pero a pesar de ser el cuerpo de Cristo crucificado, a pesar de tener facciones y barba de treinta años, es un niño. El cuerpo pequeño, en los brazos de su madre, ha sido el recurso del artista anónimo para representar varios conceptos al mismo tiempo, conceptos que de otra manera no podía representar en su compleja coexistencia: dolor, crueldad, ternura, maternidad, tristeza, beatitud, religiosidad, todo reunido en emotiva síntesis. Frida no lo conocía. Y sin embargo ella se pintó en brazos de su nana con sus facciones de mujer y su cuerpo de niña. Hasta aquí la semejanza. Pero es suficiente para descubrir en su creación esa relación auténtica, esencial, con el espíritu popular. Esta identificación de concepto no es meramente casual, sino que responde a vivencias comunes, vitales. Y si Cristo, en la pintura popular, "muere" en brazos de su madre, Frida, en su pintura, "vive" en brazos de su nana, vive gracias a las gotas de leche que florecen en el árbol glandular del pecho de esa nana indígena de piel bronceada y de rostro inmutable, máscara pétrea que es el símbolo genérico del pueblo que alimentó espiritualmente a la pintora.

Frida pintó muchos autorretratos excelentes, fiel a la belleza de sus facciones acentuada por el tocado de yalalteca o de tehuana, con sus ojos expresivos y limpios que brillaban bajo sus espesas cejas, y sus labios carnosos, acaso carnales. En su frente aparecen en ocasiones, por una ventana circular, sus pensamientos más obsesionantes: Diego, la vida; una calavera, naturalmente la muerte; esa muerte que tantas veces estuvo cerca de ella, en ocasiones con el gracejo de un títere de yeso y alambre, hermana de los grandes *judas* de los Sábados de Gloria y de las figuras de cerámica prehispánica —*Habitantes de la ciudad de México,* según los vio en alguno de sus cuadros— otras veces con el amenazante agobio de una hemorragia en la sala de operaciones, como cuando perdió a sus hijos prematuros —también nos lo dice en su pintura— o cuando sufrió una de sus veintitantas intervenciones quirúrgicas. Autorretratos pintados con la intención de mirarse a sí misma, desde fuera, desde el alto espejo de su cama, para después ir ahondando con sus pinceles en su mundo interior. Y es así que nos conduce por los senderos rojos de sus venas al ámbito sublime de su angustia, de su dolor. Son, éstos, senderos palpitantes que ligan su corazón con el mundo de las plantas —su sangre es la savia de la hiedra que nace en los surcos de su pecho—; con el telúrico mundo de la tierra —venas que son raicillas hurgando en el subsuelo—; con el mundo de los hombres —su corazón es la paleta en donde mezcló los colores para pintar el retrato del doctor Farril—; con el mundo de su otro yo, la otra Frida, compañera suya en un gran cuadro, la Frida que no viste de tehuana, sino que porta un señorial vestido blanco maculado por la sangre que escurre de sus arterias. ¡Qué bien poder contener, con unas pinzas, el flúido de la vida que se escapa, mientras el cielo azul forma horizonte!

Autorretratos hay más intensos aún en su mensaje desgarrado, como el *Venado herido,* ágil quimera con cabeza de Frida; el rostro, impávido, esboza una sonrisa no obstante que diez flechas se clavan en el cuerpo animal. O la *Columna rota,* en donde Frida aparece con su cuerpo desnudo martirizado por mil clavos, cuerpo apenas sostenido en su belleza herida por albos tirantes que dejan entrever la columna del alma ya deshecha. O como aquel otro, tan pequeño, dividido en dos partes, iluminadas una por el sol, otra por la luna. En el campo del día el cuerpo de Frida, recostado sobre una blanca mesa, deja ver las heridas de su espalda mientras ella misma, en la noche, aparece de frente, vestida como siempre de tehuana, con sus ojos brillantes por las lágrimas y sosteniendo en sus manos los símbolos de su existencia: un cinturón ortopédico y una banderita de papel que canta a grandes letras una canción: "Arbol de la esperanza, mantente firme".

Pero tal vez el más vivo autorretrato sea aquel lleno de muerte: *Lo que el agua me ha dado*. Algo en verdad le dio a Frida el agua de la bañera: una multitud de imágenes oníricas que hacen de este cuadro el único que pudiera tener algunas coincidencias con el Surrealismo (ya que el Surrealismo parece haberse adueñado con su nombre del continente del sueño). Lo único real, los pies, que asoman sus dedos en el filo del agua; uno de ellos perfecto, suave y fino; el otro herido y deforme; cerca de él una arteria sangrante surge de la coladera de la tina —"el árbol de la vida sangra", poetizó Pellicer—. Un cuerpo femenino flota sostenido por cuerdas que tiran de su cuello y sobre éstas circulan algunos insectos equilibristas.

Ese cadáver es el suyo, pues su vestido rígido aparece allí cerca. Es pues ella la muerta. Entre las plantas surgen los retratos de sus padres muertos. En un islote la efigie de la muerte. Al fondo está un pajarillo muerto. En un volcán arde el *Empire State:* la arquitectura del capitalismo muere. Sólo *viven* allí, sobre la esponja, las dos Fridas, la blanca y la morena, caricia tierna de cuerpo contra cuerpo.

Frida Kahlo fue una extraordinaria retratista. De ciudades y de hombres, de mujeres, de niños.

El retrato de Nueva York ¡es tan de Nueva York! No sólo por la isla de Manhattan o por la estatua de la Libertad que allí aparecen, sino por sus góticas iglesias protestantes; sus Partenones de mentirijillas, modernas Bolsas de Valores; sus torres y sus tanques industriales; sus edificios de cien pisos que Steinberg caricaturizaría genialmente como un pedazo de papel milimétrico rodeado por las calles trazadas por su pluma; sus *gas station* y sus basureros; el blanco W. C. del funcionalismo estricto y el trofeo de *golf* teniendo como base las columnas de la cultura helénica y de la cultura hispánica. Todo ese *maremagnum* de la ciudad de acero —"Nueva York de alambre y de muerte" diría Lorca a Walt Withman, donde "el amigo come tu manzana con un leve sabor de gasolina"— envolviendo a un pobre traje de tehuana recién lavado.

Las primeras pinturas de Frida fueron retratos: el de Lucía Galant, de allá por los veintiséis, con el estilo de la época, trabajado en predominantes tonos oscuros; los de sus hermanas Adriana y Cristina, en los cuales va enriqueciendo su paleta con colores más luminosos —retratos, éstos, hechos durante su estancia en el hospital después del accidente fatal— hasta llegar al retrato de Miguel N. Lira en donde muestra ya un dominio completo del oficio de pintor: dibujo excelente, equilibrada composición, intensa expresividad, sabia combinación cromática.

En este difícil género Frida ha dejado pinturas verdaderamente excepcionales como el retrato de su padre, que tiene ese mismo sabor de las fotografías, viejas hoy, que éste tomaba. Tiene carácter, además de una infinita ternura implícita; o el retrato de Eva Frederik, hermosa negra de Nueva York, que no deja de tener, en su tratamiento, alguna reminiscencia inconsciente de los retratos mexicanos del siglo XIX, reminiscencia que se nota también en el retrato de esa niña indígena que destaca su figura, vestida de verde, sobre un fondo mitad violeta, mitad oro, combinados con una agresiva armonía. Entre tantos que hizo, resaltan por su perfección el de la madre del ingeniero Morillo Safa, uno de los preferidos de Frida, en el cual la pintora muestra su amor por las texturas en el tratamiento de las telas y del precioso y rico fondo vegetal que circunda a la dignísima anciana de cabellos blancos. En el retrato maravilloso de una niña, *Mariana*, obra maestra de su pincel, se aúnan la ternura de la expresión, en los ojos; la finura de ejecución, en el pelo; la pasión por las texturas, en los accidentes de las telas; el entusiasmo por la naturaleza, en las hojas que enmarcan la figura, y la maestría colorística, en la piel del rostro infantil tan hábilmente destacado entre las suaves tonalidades del cuadro. Y aquí habría que recordar que la crítica más seria ha definido como colorista no al pintor que emplea muchos colores o colores brillantes, sino al que sabe la manera de combinarlos armoniosa y finamente. Y qué decir de ese delicioso retrato de los personajes que viajan en la banca de *El camión:* la mujer de pelo hirsuto que regresa del mercado; el obrero de rasgos indígenas que se dirige a su trabajo; la madre humilde que amamanta a uno de sus hijos mientras el otro se asoma por la ventanilla; el *gringo* que regresa del banco llevando en una mano una talega repleta de dinero y la bella señorita que se ha cubierto, púdica y cuidadosa, las rodillas; comparsas, todos ellos, en el espectáculo de la vida que se desenvuelve en el grandioso escenario de la ciudad y el campo que puede apreciarse por las ventanas del camión. En uno de los edificios, al fondo, aparece pintado irónicamente el letrero de una miscelánea: "La Risa".

En la pintura de Frida Kahlo es evidente su amor por lo biológico, su apego a la naturaleza, sobre todo en dos de sus aspectos: el humano y el vegetal, que es como decir su amor y su apego por lo vital. Es casi una obsesión en sus cuadros la representación del inicio de la vida: la fecundación y la gestación. ¡Cómo no iba a entusiasmarse ella que tanto sufrió —y lloró— su fracaso maternal! Tal vez la síntesis de su exaltación embriológica está de manifiesto como en ningún otro cuadro en el *Moisés*. La composición es muy simple: simetría con respecto a dos ejes perpendiculares que se encuentran al centro. El sol es un gran óvulo cuyos rayos señalan, con manos diminutas, hacia dos compactas columnas humanas dispuestas a ambos lados. El núcleo central de estas columnas está constituido por los hombres que han conmovido, con su pensamiento, la atmósfera histórica de la humanidad, desde Ptah-Hotep, en Egipto, hasta Stalin en el mundo contemporáneo; hombres que han encauzado su genio en un sentido positivo o negativo pero que, en un momento dado, fueron los causantes de un giro trascendental en la vida del género humano: Platón, Cristo, Confucio, Nefertitis, Napoleón, Julio César, Gandhi, Pasteur, Buda, Marx, Hitler, Mahoma, en una confusión que es parte de su intento de expresar, plásticamente, una idea: "Lo que yo quise expresar —dijo Frida en una charla en la que trató de explicar el sentido de su obra— fue que la razón por la que las gentes necesitan inventar o imaginarse héroes y dioses es el puro miedo. Miedo a la vida y miedo a la muerte". Miedo, sí, a la vida, que está representada, en los ángulos inferiores del cuadro, por el hombre y la mujer, pilares de la sociedad que en masa —todos los pueblos juntos— aparece en el fondo. Miedo a la muerte, simbolizada en los ángulos superiores por unos esqueletos que sostienen las nubes metafísicas de las grandes religiones. Todo esto iluminado por el óvulo-sol central del cual nace Moisés, quien, niño aún, flota sobre el Nilo en el interior de una cesta. ¿Y por qué Moisés, —"aquel que fue sacado de las aguas", en hebreo— como centro de la composición? Paul Westheim ha tratado de aclarárnoslo: "Quizá le haya emocionado la explicación que Freud da a la palabra *cesta*. 'Cesta —explica— es la matriz expuesta, y el agua significa la fuente materna al dar a luz una criatura'. Frida pinta a Moisés... al héroe llamado a dar a la humanidad el concepto de un Dios único, encuadrado, como de un nimbo, de los grandes héroes del espíritu de todos los tiempos, de todos los pueblos, de todas las ideologías. No pinta una interpretación de Moisés: lo que pinta es su propia vivencia, es, como todo lo que pinta, Frida Kahlo". *

El otro aspecto de la pasión de Frida Kahlo por la naturaleza es su insistencia en lo fitomórfico. Las formas vegetales la entusiasman de tal manera que en ellas puede descubrirse, en ocasiones, una latencia, una palpitación de savia identificada con la sangre de sus propias venas. En las hojas envolventes de las grandes plantas percibe placentas maternales y soles y lunas con ojos llorosos en la frente. Los modelos para sus Naturalezas Muertas los dispone de tal modo que, al ser pintados, recuerden, con fina y sutil sensualidad formal y colorística, partes del cuerpo humano: ojos y sexos, cráneos y manos vegetales. Es así que en alguno de sus bocetos tuvo que escribir, como para convencerse a sí misma: "Naturaleza bien muerta".

Diego Rivera guarda celosamente —y con razón— un libro pequeño en el que Frida escribió durante varios años todo aquello que pensaba, sentía o hería su sensibilidad. Es, por así decirlo, el libro de sus desahogos. Libro escrito con la tinta indeleble de su hondo sentimiento, con letra abierta y franca que, en las últimas páginas, se transforma en garabatos a causa de su prolongada agonía espiritual y física. Es el libro de su autenticidad. En él se puede conocer a la Frida interior, a la íntima Frida, eterna enamorada de Rivera, que en un momento dado gritaba en el silencio de esas páginas: "¡Diego, estoy sola!" para después, tranquila, confesarle a las hojas de papel, más adelante, "¡Diego, ya no estoy sola!" El nombre de Diego aparece allí insistente, apasionadamente, unido a los recuerdos personales, a las esperanzas que la ayudaban a vivir.

Pero es el libro de una pintora y además de las letras hay infinidad de dibujos con tintas de colores. Dibujos caprichosos que nacen a partir del pretexto de una mancha, extendida por un brusco cierre de las hojas. "Quién diría que las manchas viven y ayudan a vivir", nos dice. Su pluma y su pincel definían los contornos de estas manchas y después se volcaban en su derredor hasta llenar todos los espacios posibles con figuras absurdas que su imaginación le iba dictando. "Mundos entintados, tierra libre y mía. Soles lejanos que me llaman porque formo parte de su núcleo". El resultado son esas preciosas "vaciladas" polícromas de artista, sólo comparables a las que Chagall realizó conscientemente. Nefertitis y Neferúnico, soberanos del país de Lokura. Rostros, rostros, rostros de colores, enmarcados en espirales negras que la conducen a una sola conclusión: "¡Qué fea es la gente!".

---

* Paul Westheim, *Frida Kahlo*. Suplemento *México en la Cultura, Novedades*, 10 de junio de 1951.

Animales imaginarios. "Tonterías. Qué haría yo sin lo absurdo y lo fugaz". Graciosas bailarinas, autorretratos minúsculos, con una pierna-columna y el cuerpo roto en pedazos: "Todo al revés, sol y luna, pies y Frida", dicho y hecho todo en el papel. Un rostro llorando azul que nos pide "no me llores" y enfrente otro más, llorando, que responde "sí te lloro". Un pie de mármol que alude a su extremidad amputada: "Pies para qué los quiero, si tengo alas p'a volar."

También está escrita allí la significación que Frida les daba a los colores, junto a unos simples trazos de los lápices respectivos:

Verde: luz tibia y buena.
Solferino: Azteca tlapalli. Vieja sangre de tuna. El más vivo y antiguo.
Café: color de mole, de hoja que se va. Tierra.
Amarillo: locura, enfermedad, miedo. Parte del sol y de la alegría.
Azul cobalto: electricidad y pureza. Amor.
Negro: nada es negro, realmente nada.
Verde hoja: hojas, tristeza, ciencia. Alemania entera es de este color.
Amarillo verdoso: más locura y misterio. Todos los fantasmas usan trajes de este color... o cuando menos ropa interior.
Verde oscuro: color de anuncios malos y de buenos negocios.
Azul marino: distancia. También la ternura puede ser de este azul.
Magenta: ¿sangre? Pues ¡quién sabe!

La poesía que emana de sus cuadros toma cuerpo en el ritmo que Frida conservaba escondido, como una flor marchita, entre las páginas de su libro. Hojas enteras están llenas de palabras sin sentido, unidas sin embargo por ese ritmo fuerte y flúido que conduce, a quienes las leen, a un estado eufórico, a una atmósfera pletórica de imágenes, cortada de repente por la brusca navaja del punto final. Originales poemas que hubieran vuelto loco a Paul Eluard si los hubiera conocido.

Tal vez, con un ejemplo, mi apreciación sobre la poética sensibilidad de Frida Kahlo quede justificada. Me he permitido la libertad de ordenar, a manera de versos, un fragmento escrito por ella para denunciar la estructura poética de su prosa. Y digo prosa porque este fragmento está escrito llana, corrientemente, como si al hacerlo hubiera pensado —me imagino— en una carta personal para Diego Rivera:

Era sed de muchos años retenida en nuestro cuerpo.
Palabras encadenadas que no pudimos decir
sino en los labios del sueño.
Todo lo rodeaba el milagro vegetal
del paisaje de tu cuerpo.
Sobre tu forma, a mi tacto respondieron
las pestañas de las flores,
los rumores de los ríos.
Todas las frutas había en el jugo de tus labios:
la sangre de la granada,

el tramonto del mamey
y la piña acrisolada.
Te oprimí contra mi pecho y el prodigio de tu forma
penetró en toda mi sangre por la yema de mis dedos.
Olor a esencia de roble,
a recuerdo de nogal,
a verde aliento de fresno.
Horizontes y paisajes que recorrí con el beso.
Un olvido de palabras formará el idioma exacto
para entender las miradas de nuestros ojos cerrados.
Estás presente, intangible, y eres todo el universo
que formo en el espacio de mi cuarto.
Tu ausencia brota temblando
en el ruido del reloj,
en el pulso de la luz:
respiras por el espejo.
Desde ti hasta mis manos recorro todo tu cuerpo
y estoy contigo un minuto
y estoy contigo un momento.
Y mi sangre es el milagro que va en las venas del aire
de mi corazón al tuyo.

Frida Kahlo ha muerto. Pero para aquellos que conocen su pintura las manchas del sol y de la luna son girones de su vestido de tehuana desgarrado; la savia de los árboles es sangre salida de sus venas. Hay un eco de su voz en cada mujer preñada, en cada niño que llora; en las mesas de hospital, que están solas.

ILUSTRACIONES

1. *Mi nana y yo*. 1937. Col. Museo Frida Kahlo.
2. *El camión*. 1929. Oleo. Col. Museo Frida Kahlo.
3. *Nueva York*. 1933. Oleo.
4. *Mis abuelos, mis padres y yo*. 1936. Oleo.
5. *Retrato de mi padre*. 1949 (?). Col. Museo Frida Kahlo.
6. *Moisés*. 1945. Oleo sobre masonite. Col. Sr. José Domingo Lavín.
7. *Lo que el agua me ha dado*. 1938. Oleo sobre tela. Col. Sr. Nicholas Murray.
8. *Los habitantes de la ciudad de México*. 1938. Oleo.
9. *Las dos Fridas*. 1939. Oleo. Col. Museo Nacional de Artes Plásticas.
10. *Tehuana*. Autorretrato. 1943. Oleo sobre masonite.
11. *Pensando en la muerte*. Autorretrato. 1943. Oleo. Col. Museo Frida Kahlo.
12. *El venado herido*. 1946. Oleo. Col. Sr. Arcady Boytler. México.
13. *Arbol de la esperanza*. 1944. Oleo. Col. Dr. Alvar Carrillo Gil. México.
14. *El sol y la vida*. Oleo. Col. Sr. Manuel Perusquía.
15. *Autorretrato con el retrato del Dr. Farril*. 1951. Oleo. Col. Dr. Juan Farril. México.

FOTOGRAFÍAS DE LOLA ALVAREZ BRAVO

1

2

3

4

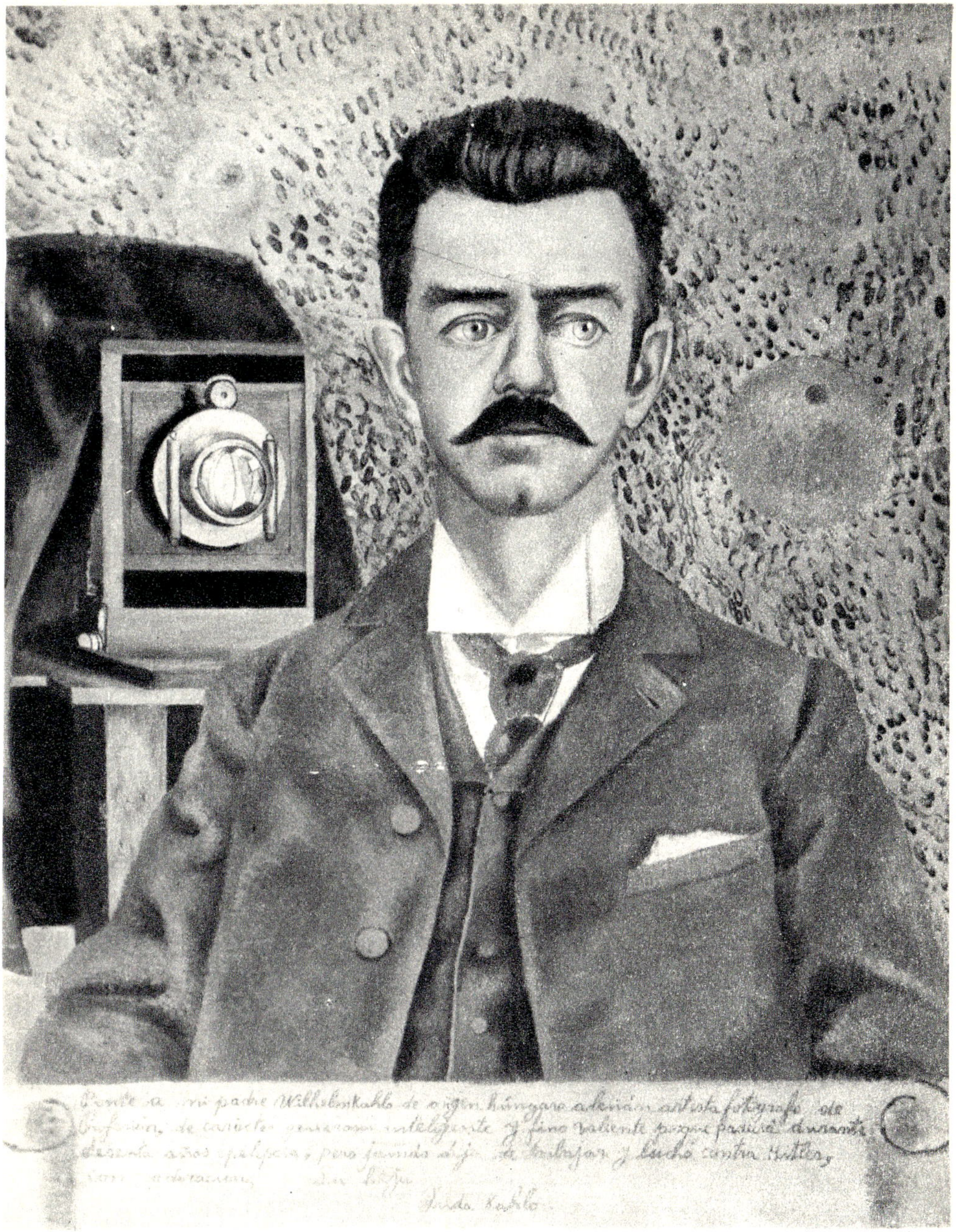

6

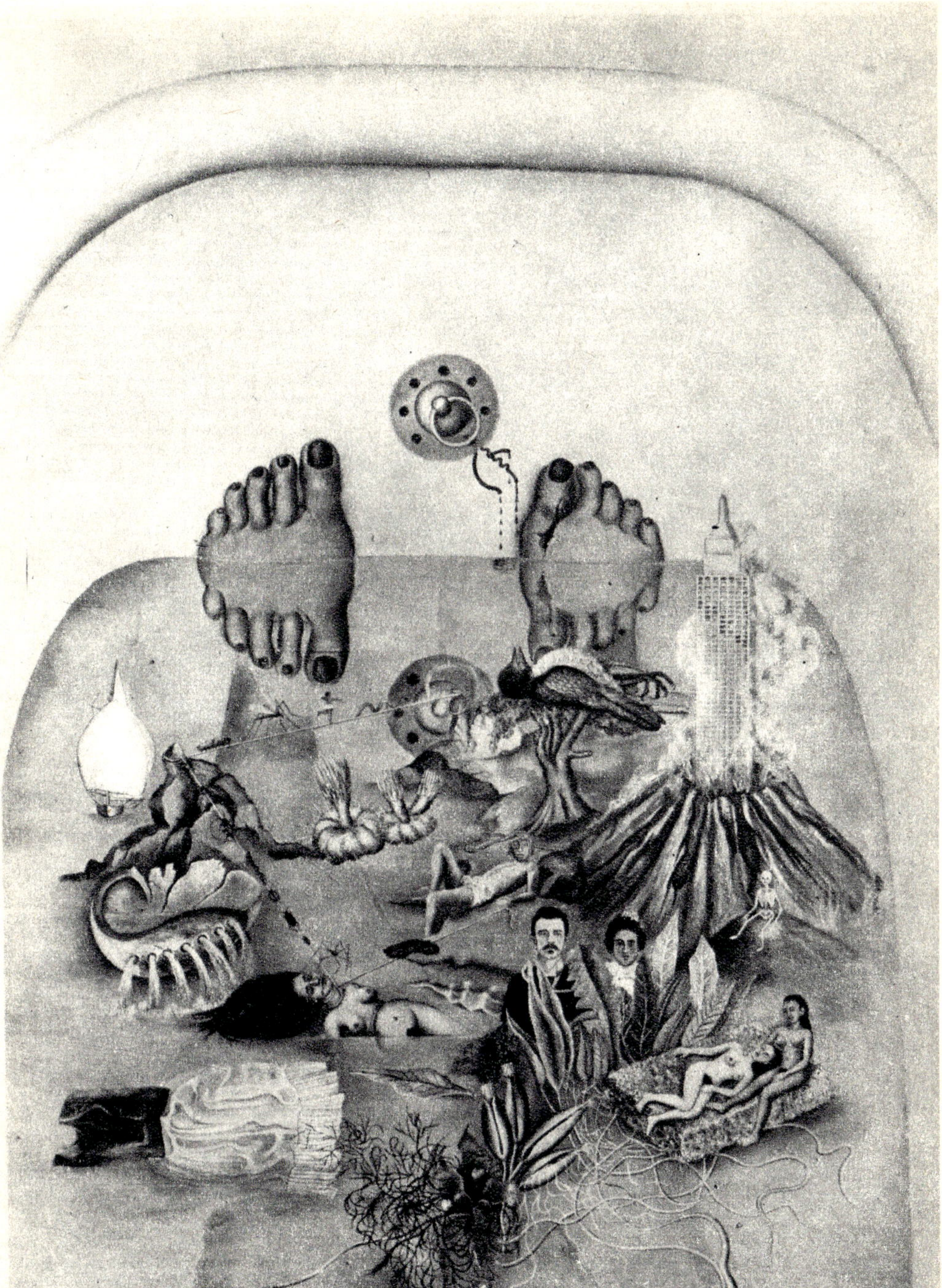

7

8

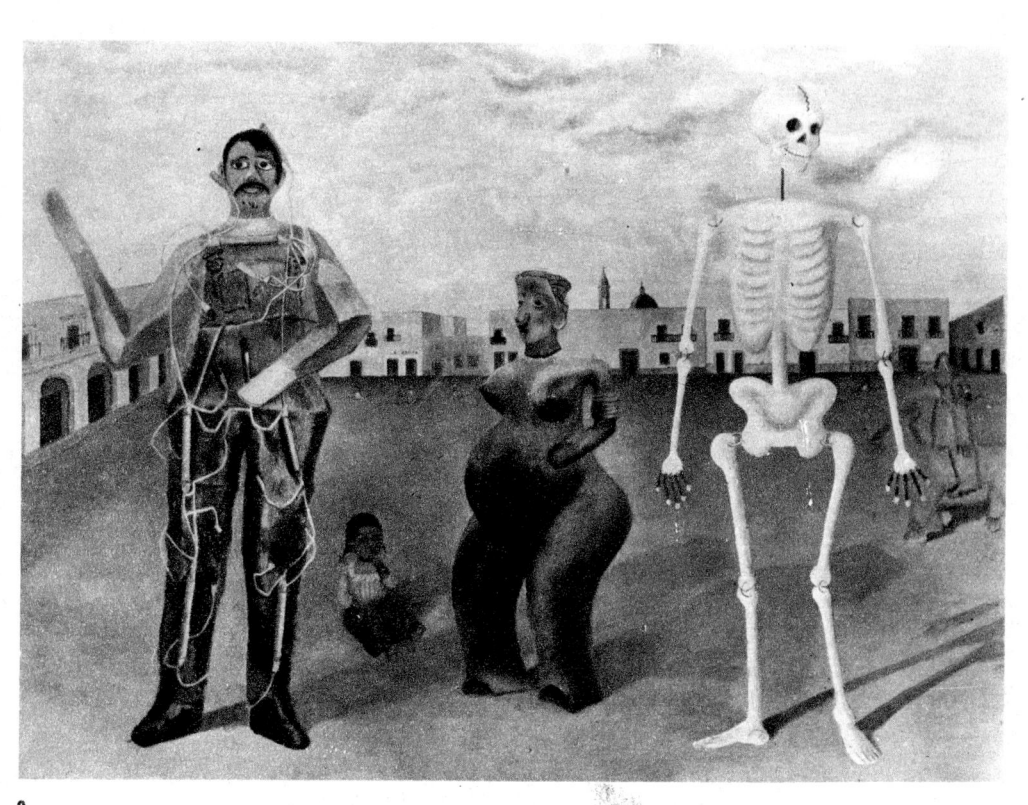

9

10

11

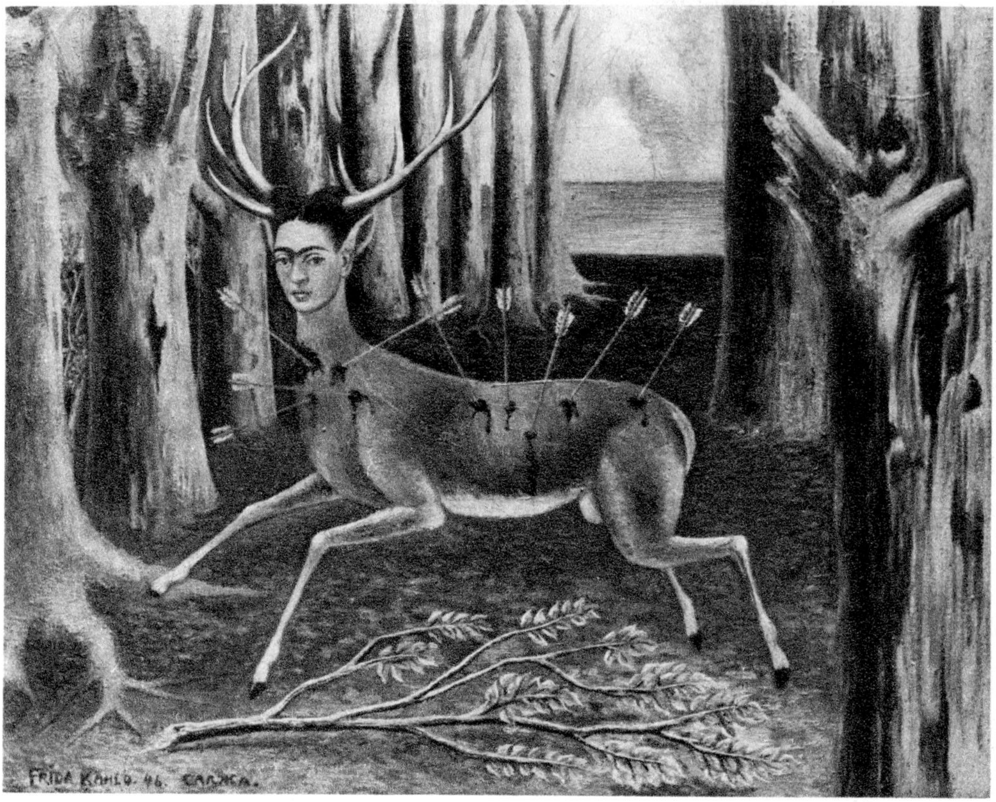

12

13

14

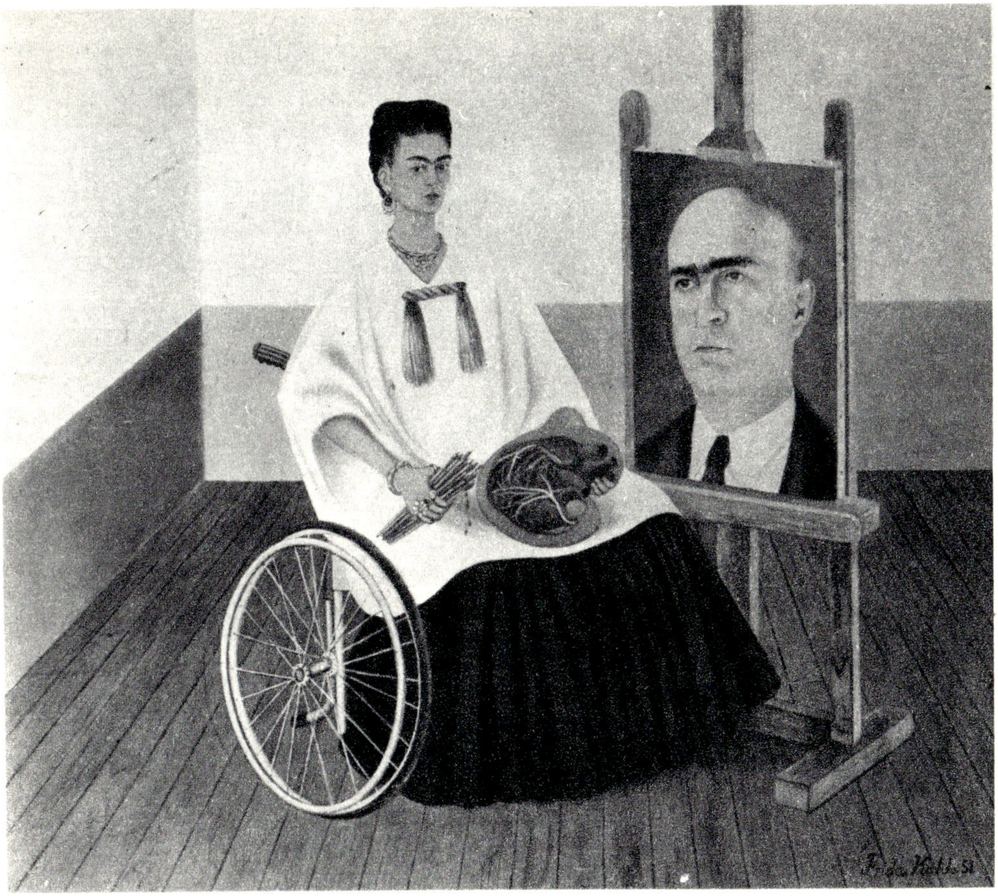

15

GUILLERMO MEZA

Cabezas religiosas. Oleo. 1950. Col. Museo Nacional de Artes Plásticas.

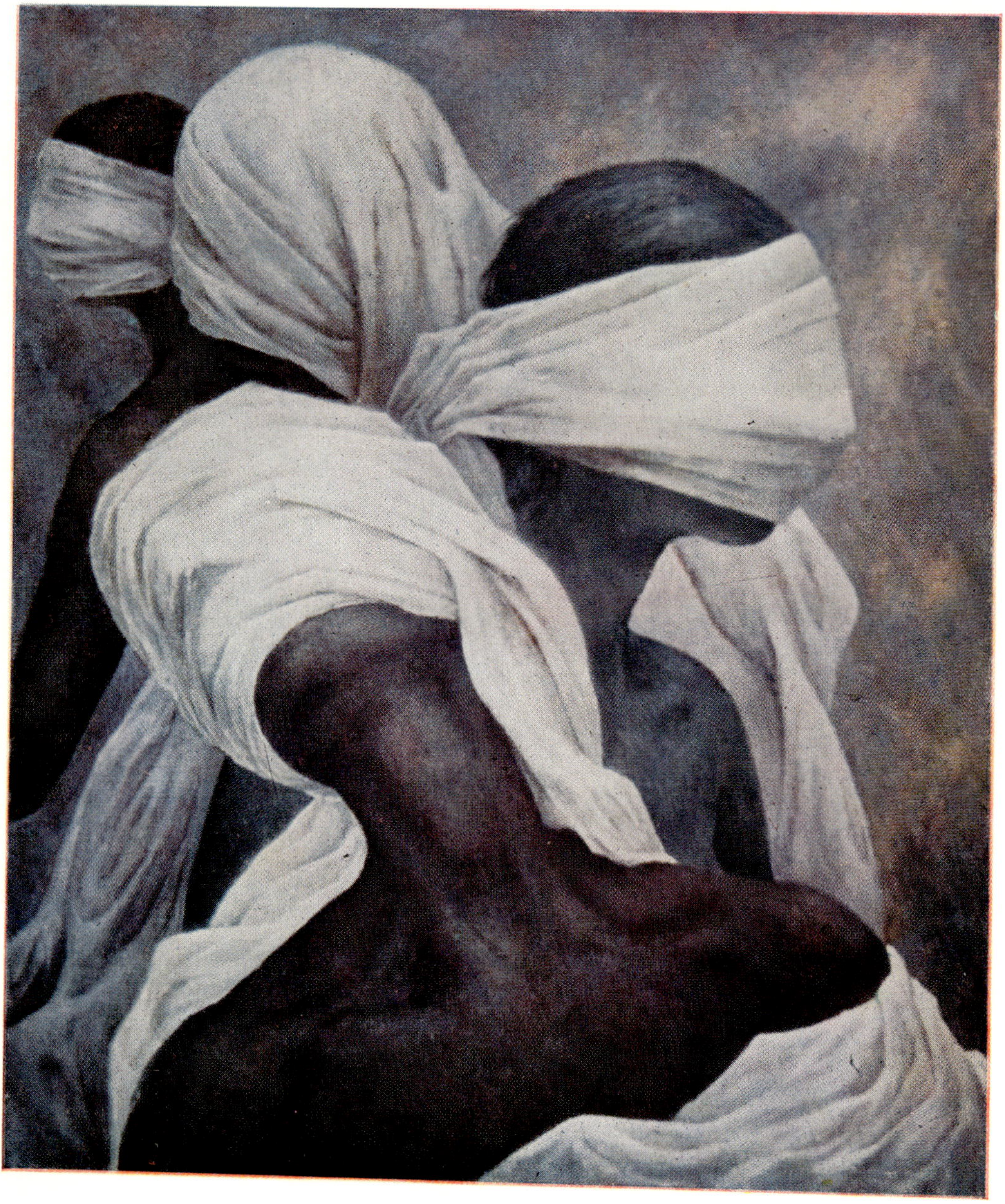

El día que un pintor pone doctrina en su obra entra en terrenos alejados de la plástica. Puede expresar indignación frente a la injusticia, rebeldía frente a la fuerza, amor frente a lo bello, pero todos estos son sentimientos, no doctrinas.

Guillermo Meza.

GUILLERMO Meza vive en la Cañada de Contreras, allí en donde los pliegues formidables de la serranía del Ajusco se han reunido en un cónclave monumental para embriagarse de verdura y neblina. Vida pacífica y calmada la suya, en directo contacto con la naturaleza. Sólo así se explica que sus dibujos estén hechos con esa paciencia, esa laboriosidad caligráfica y esa minucia que el arte moderno ha abandonado por la línea rápida, precisa y sintética, tan acorde con la vital dinámica del mundo moderno.

Cuando vuelve los ojos del recuerdo a su infancia, Guillermo Meza se encuentra siempre con el lápiz en la mano. ¡Cómo olvidar esas tardes eternas del domingo en las que al igual que su padre —sastre pobre de un barrio de la ciudad— se dedicaba a iluminar las figuras de todas las revistas que cubrían la mesa familiar. Guillermo comenzó por copiar la Venus de Milo o la Victoria de Samotracia de algún rotograbado, único escape artístico en el humilde medio en que vivía, y terminó por ingresar a una escuela nocturna de arte para trabajadores. Fue allí en donde decidió su vocación.

Cuando a los veinte años (1937) fue a Morelia por una larga temporada era ya maestro de dibujo. Desde entonces conoce el cuerpo humano como pocos artistas —Orozco lo decía: ¡Ay de aquel pintor que no sepa dibujar una mano!—; desde entonces también, en su obra, el Hombre es fundamental como forma y tema de su pintura.

Guillermo Meza nunca ha sido un dibujante puramente lineal. Las luces y las sombras lo entusiasman —toda su vida lo han entusiasmado— y en consecuencia su dibujo es un dibujo escultórico; en él los volúmenes están destacados con un sentido espacial y unas calidades táctiles que nunca ha abandonado. Los golpes decisivos de la luz, el misterio de la sombra y el lindero entre estos dos campos diferenciados, la penumbra, obligan a palpar con las pupilas cada parte de un cuerpo, cada hoja vegetal que nos presenta. La expresividad corpórea de los desnudos masculinos y femeninos es tan perfecta que a veces parece querer escapar del naturalismo académico por medio de la transformación de los brazos y de las piernas en formas vegetales, en lenguas de fuego, en estallidos de piel humana, detalles éstos que por desgracia no siempre han sido afortunados. Y digo por desgracia porque Meza, independientemente de estos escapes formalistas de algunos de sus dibujos, es uno de los más prodigiosos artistas del blanco y negro en la historia del arte mexicano. La pluma, en sus manos, adquiere un mágico movimiento caligráfico que se antoja increíble; más bien que occidental es oriental y —¿por qué no?— indígena en su abarrocada minucia, en esa cuidada y paciente elaboración que solamente el grabado al *aguafuerte* puede lograr con esas matizadas calidades.

Con esta técnica dibujística tan peculiar, Meza ha dejado en el papel hermosas figuras masculinas de músculos tensos, tan enérgicas y tan plenas de vida interna que William Blake, de haber vivido en nuestro tiempo, seguramente hubiera afirmado que era eso lo que él pretendía lograr con sus dibujos. Figuras femeninas, espléndidas mujeres de piel iluminada que agitan sus cuerpos al ritmo de una danza, que refrescan sus piernas en las aguas de un río o rendidas, se abandonan al reposo. Todas ellas realizadas con una sutil y a la vez intensa sensualidad que mucho tiene de clásica. Guillermo Meza, al dibujar el cuerpo humano, muestra el mismo éxtasis contemplativo que todo gran artista ha demostrado desde hace tres mil años.

Pero no sólo la belleza sino también el drama humano ha sido tratado por la pluma incisiva de Meza: las muchedumbres otomíes olvidadas en el desierto y acosadas por nubes cargadas con las bayonetas del hambre, únicas nubes que oscurecen el Valle del Mezquital, o la indígena que hila sus fibras de maguey frente a los cactus agresivos.

En su última fase dibujística Meza emplea lápices verdes y rojos que confunden sus líneas sueltas y continuas en los puntos de sombra de los cuerpos. En estas figuras, lánguidas o angustiadas, ha abandonado definitivamente las deformaciones conscientes de las primeras épocas, deformaciones que por su desvirtuado surrealismo han debido dejar el sabor del arrepentimiento en el espíritu de ese dibujante excepcional que es Guillermo Meza.

* * * * * * * * * * *

Los únicos maestros de Meza en la pintura en color fueron su propia experiencia y los sucesivos fracasos técnicos. Antes de enfrentarse al lienzo experimentó, en el papel del dibujante, el goce infinito de la policromía con el *gouache*, técnica en la que llegó a someter la luz a su arbitrio absoluto. Los *gouaches* son para él los estudios previos a la aventura del óleo. En esas pinceladas de color directo, apenas susceptibles del matiz verdaderamente pictórico, aprendió la importancia de los blancos, esos blancos en realce que desde el Renacimiento hacen vibrar con su toque de vida las rocas, los edificios, los personajes y las telas de los grandes cuadros. Meza usa los blancos con la audacia franca del artista ansioso por capturar la atmósfera del día. Su intuición lo llevó a coincidir a veces con los intensos blancos de Monet o Bertha Morisot, o bien con esos otros blancos de pincelada decisiva, cortados bruscamente por la mancha de sombra, de Orozco. Al igual que en sus dibujos, en el *gouache* Meza gusta sobre todo de las luces crepusculares, o de esa luz de hoguera que rompe a dentelladas el manto de la oscuridad.

Dibujante enamorado del papel, Guillermo Meza no quiso abandonarlo en sus primeros óleos. Pero pronto aprendió el valor incomparable del lienzo y comenzó a llevar a él sus temas y sus figuras. Y así nos lo encontramos, en 1939, con sus primeras obras plasmadas en el lino con todas las características de su arte ya claramente definidas. Este es para Meza el "año de las luces". Los rostros de sus personajes se iluminan con el resplandor de un libro abierto bajo la luna, lo cual les comunica una dulzura inefable; los cuerpos acentúan la belleza de sus formas humanas gracias al intenso reflejo de los muros desnudos que forman la escenografía de la vida; los cabellos se deshacen en torrentes de sol anunciando la llegada del alba, y los ojos de un niño bastan para inundar de fulgores la penumbra de un cuadro. El pincel fue para él una lámpara llena del óleo prodigioso que ensayaba en el lienzo los colores del mundo.

Hombre del pueblo, Meza se identifica en su pintura con el indígena crucificado en el maguey que es su gozo y su tragedia; con el pobre cilindrero que en cada esquina del barrio perfora su instrumento para dejar en libertad las melodías; con los *pepenadores* que llevan su tesoro de basura sobre la espalda.

Es un pintor realista, y en eso continúa en la trayectoria del movimiento revolucionario de los muralistas mexicanos. Pero a diferencia de ellos no solivianta el ánimo del espectador en favor o en contra de su temática, sino que el sentido de su realismo es más pictórico, si cabe; el dramatismo de un rostro enérgico y sufrido de penitente o la misteriosa dulzura de una mujer embozada adquieren intensidad no por el tema mismo, sino gracias a las calidades plásticas de las pinceladas y a la armonía cromática. Sin duda la proyección sentimental del espectador —el cúmulo de experiencias extraestéticas que frente a una obra de arte surgen inconsciente e inevitablemente según lo ha observado Lipps— interviene cuando se contemplan las obras de Meza, pero el goce estético está más allá de esa proyección. Y está más allá porque no es una sonrisa infantil o el vuelo agitado de un manto lo que desborda el entusiasmo, sino *cómo* está pintada esa sonrisa o ese manto. Sus pinturas, o producen una conmoción definitiva y única, o bien atraen la vista al centro fundamental de la composición para después llevarla, suavemente, en una euforia envolvente de formas, a través de todos los elementos del cuadro, hermanando esa proyección sentimental subjetiva con el placer visual de las texturas y el color.

El realismo de Meza es esencial, y no ideal y aun romántico como el de Diego Rivera; no gradilocuente como el de Siqueiros. Tampoco es un realismo estrujante como el de Orozco. Es esencial, simple y profundo, porque no es sólo producto de su actitud como artista, testigo de la realidad hiriente, sino que lo ha sentido como sujeto herido por esa realidad. No fue un mero afán descriptivo el que lo condujo a pintar *La tolvanera,* inclemente llanura sembrada de casas miserables, en donde los niños juegan con esos anillos gigantescos de cemento que se emplean en el desagüe urbano. La paradójica belleza dramática de ese paisaje yermo proviene de la limpia autenticidad de su recuerdo, de la imagen imborrable de una infancia que los ángeles y los niños ricos desearían haber tenido: infancia compensada en su pobreza con cerros de tierra estéril —kindergarten interminable de los hijos del pueblo— y con charcos, formados por el agua de las lluvias, en donde mojar los pies descalzos; con oscuros muros de adobes, incomparables para jugar al escondite, y esos grandes juguetes de concreto olvidados allí por un feliz azar. La riqueza temática de Meza es producto de esa inversión de emociones de su pasado. No sería tan trascendental el realismo de su pintura de no haber visto la fruición con que muerde la manzana el niño desarrapado que recarga su cuerpo en el muro sin pintar, o los rítmicos movimientos de las mujeres que lavan en el río, despreocupadas de que el viento sacuda sus vestidos, al igual que las ropas tendidas, denunciando la belleza de sus cuerpos.

Maestro del desnudo en el dibujo, maestro de la luz y del color, maestro también en la interpretación sublimada de la realidad, Guillermo Meza ascendió por el peligroso acantilado del realismo imaginado con temas surgidos no del mundo objetivo, sino del subjetivo, si bien siempre relacionados con la vida en lo que ésta tiene de emotivo y de sensual, entendiendo por sensual —como debe ser— todo lo que es perceptible a través de los sentidos. También en este campo su visión alcanza la belleza del amor y la tragedia de la pobreza. Su obra continúa, en esta otra variante, desgajando la ternura y el drama, polares hemisferios en la vida del Hombre. Meza ha pintado el Cantar de los Cantares de la naturaleza en esa sinfonía de amarillos de los haces de trigo que ocultan el amor de una pareja unida por cromáticos acordes de epidermis, rendidas por el contacto intenso de su color bronceado: la amante arrodillada que defiende a su amado tendido sobre el suelo, con un manto extendido, de la luz del crepúsculo. Pero por otra parte Meza rasga la atmósfera de un campo de maíz, mecido por el viento, con la presencia tremenda del viviente cadáver de un indio que camina en el sendero abierto por el sol: los oros de las milpas, los blancos del vestido y la oscura cabeza del tétrico caminante, los verdes de ese árbol solitario que divide el paisaje, el cobalto del cielo, están de tal manera pintados que podría hablarse allí de mil influencias o de ninguna. En otro cuadro el hombre y la mujer, desnudos, viven gracias al soplo divino que puso en la paleta y los pinceles de Guillermo Meza el intangible fantasma de Miguel Angel; un sorprendente niño azul, junto a sus padres, duerme recostado entre el hirsuto pelo de un borrico. Obra espléndida ésta, en la que aparecen reunidas las diferentes fases de la maestría de Guillermo Meza. Pero siempre surge el tema de contraste en su pintura: un pequeño contempla, envuelto en una densa neblina hecha con agitadas pinceladas en blanco, el cadáver de su madre cubierto por un hermoso sudario rojo. La muerte, un ser sin rostro y con el cuerpo desgarrado, lo observa desde la oscura caverna de ultratumba.

Al hablar de los dibujos de Meza dije que estaban trabajados con un sentido escultórico de la forma. Algo semejante pasa con sus *gouaches* y con sus óleos. Su pasión por la luz, por los volúmenes, lo aleja de toda bidimensionalidad. Y si bien es cierto que en algunos de sus cuadros las figuras no aparecen actuando en el espacio lógico —perspectivo— de varios planos, sino en una atmósfera sin lindero definido, flotando en un ambiente etéreo, esos hombres y esas mujeres, esos niños y esas bestias que él pinta, viven siempre una vida plena de terrenalidad. La piel, los cabellos y aun los mantos que a veces los cubren, vibran por la magia de las "veladuras" —color sobre color—, los tonos transparentes tienen tras de sí la cálida presencia de los sepias y de los rojos, la activa frialdad de los azules. Es por eso que los cuerpos palpitan y las aguas, las telas y el aire de sus cuadros son en verdad transparentes. Es por eso también que en sus paisajes el aire se ha quedado para siempre: la ciudad resplandece bajo el sol, los montes se hielan a la luz de la luna y las plantas cactáceas destacan con fuerza inusitada las garfias de sus rojos y naranjas.

Guillermo Meza ha logrado reunir en su pintura la pasión renacentista por el desnudo, la sensualidad formal del Barroco, la teatralidad del romanticismo, la luminosidad de los impresionistas, la transparencia atmósferica del paisaje mexicano del siglo XIX, el énfasis emotivo de los expresionistas y el realismo de nuestros muralistas. Su pintura es síntesis y a la vez renovación. Catarsis de los valores plásticos de todos los siglos anteriores, de la cual surge con nueva fuerza y gracias a su voluntad de artista que lo induce a salvar con su creación su propia realidad, un arte diferente que tiene la impronta inevitable de su personalidad. Un arte a la vez original y antiguo, como todo gran arte.

ILUSTRACIONES

1. *Autorretrato.* 1942. Oleo sobre papel. 20.5" × 17.5". Col. Sra. Soledad Alvarez de Meza.
2. *Mujer de espaldas.* 1939. Dibujo al carbón. 9 3/4" × 5 1/2". Col. Dr. Mac Kinley Helm. Brookline. Mass.
3. *Madre joven.* Dibujo al crayón.
4. *Pareja durmiendo.* 1941. Dibujo a pluma. 25 1/2" × 19 3/4".
5. *Orfeo.* 1940. Dibujo a pluma. 23 3/4" × 20". Col. Mr. Monroe Wheeler. N. Y.
6. *La hilandera.* 1953. Dibujo a pluma. 35 × 47.5 cm. Col. Mr. Rudolph E. Langer. Madison. Wisconsin.
7. *El tronco luminoso.* 1950. Oleo sobre tela.
8. *El Mezquital.* 1952. Oleo sobre tela. 39 6/16" × 51 1/16". Col. Mr. Louis Harris. Minneapolis. Min.
9. *6 P.M.* Oleo sobre tela.
10. *La tolvanera.* 1949. Oleo sobre tela. 27 1/4" × 43 1/4". Col. Mr. Mills. México, D. F.
11. *La nana.* 1943. Gouache. 18 1/2" × 11 1/4". Col. Mr. Ernest Butterlin. Ajijic. Jalisco.
12. *Las lavanderas.* 1943. Gouache. 26 3/4" × 41 3/4". Col. Mr. Frederick W. Beckman. México, D. F.
13. *Adoración de los Reyes.* 1940. Oleo sobre tela. 25 1/2" × 29 3/4". Col. Mr. James P. Warburg. N. Y.
14. *Alrededores de la ciudad.* 1949. Oleo sobre tela. 28 1/2" × 37 3/4". Col. Mrs. Betty Cranfill Wright. Dallas, Tex.
15. *La poza.* Oleo sobre tela. 36 3/4" × 29 1/4". Col. Mr. J. R. Metzger. Boise, Idaho.
16. *Arrieros somos y en el...* 1944. Oleo sobre tela. 20" × 24". Col. Mr. Frederick W. Beckman. México, D. F.
17. *La milpa.* Oleo sobre tela.
18. *Ventana al norte.* 1955. Oleo sobre tabla. 35 3/4" × 72". Col. Mr. Michael Buttler, N. Y.
19. *Retrato de mujer con trenzas.* 1941. Oleo sobre tela. 28 1/4 × 35 1/2". Col. Salo Hale. México, D. F.

FOTOGRAFÍAS DE JOSÉ VERDE, DEL ARCHIVO DE LA GALERÍA DE ARTE MEXICANO DE INÉS AMOR.

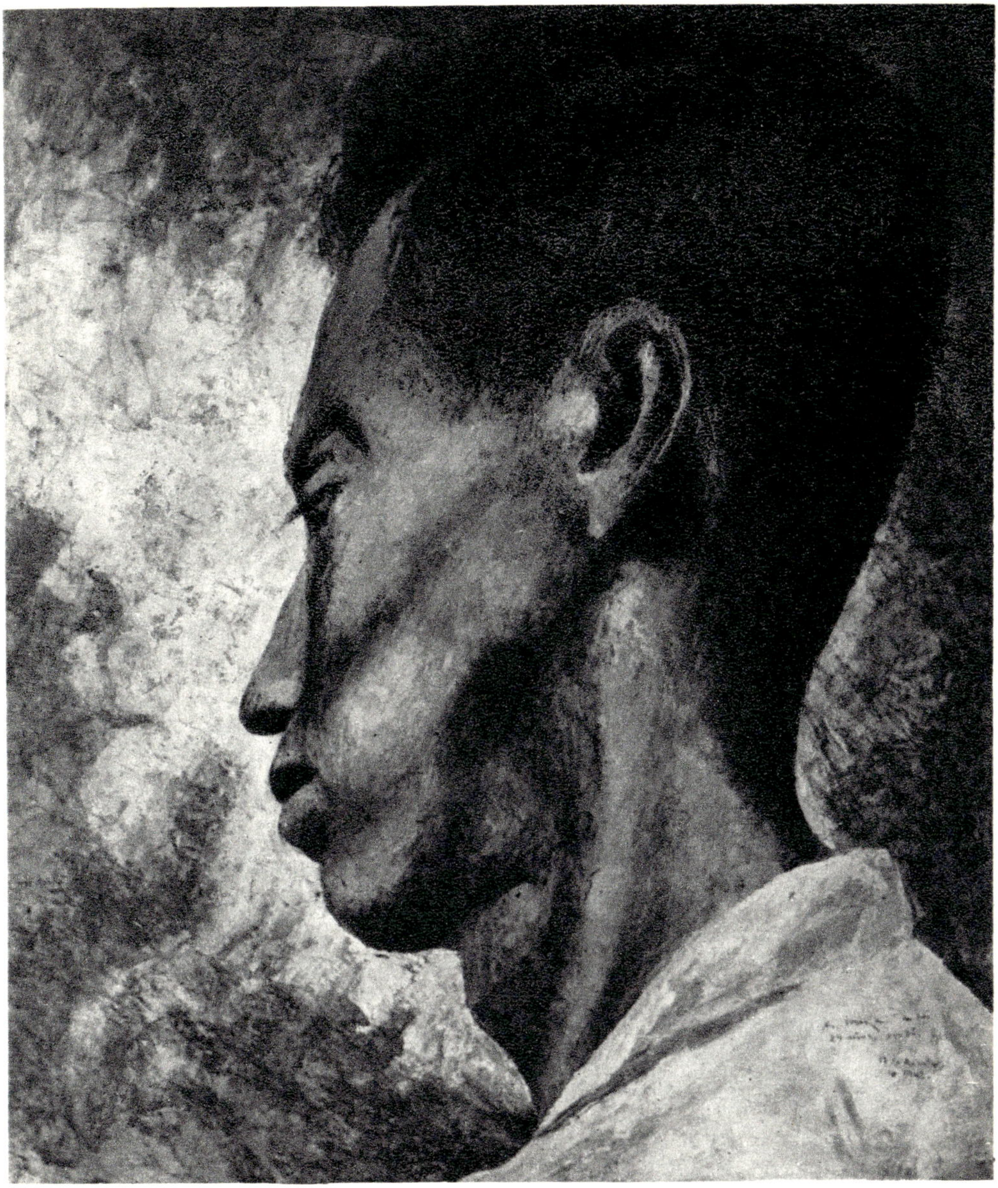

1

2

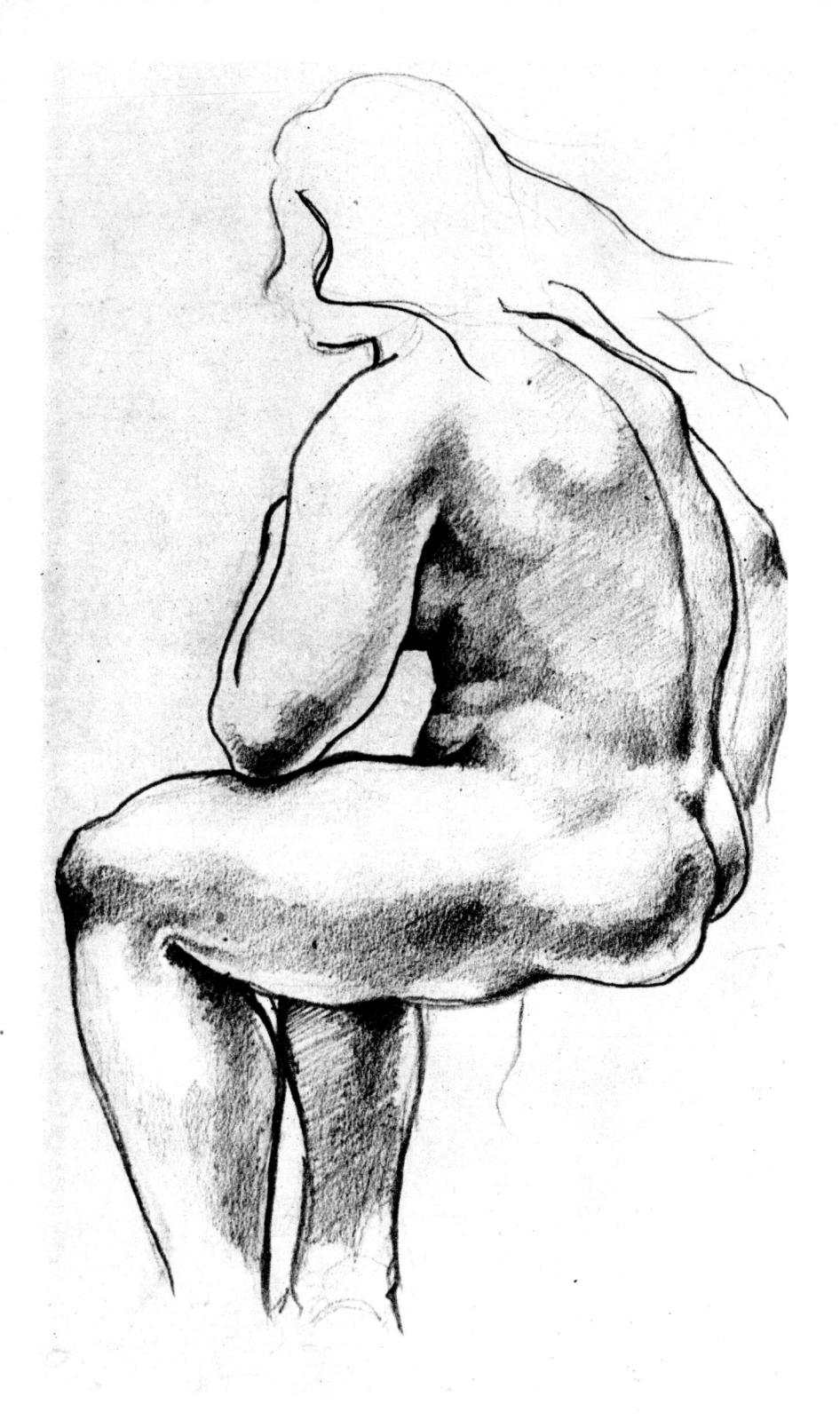

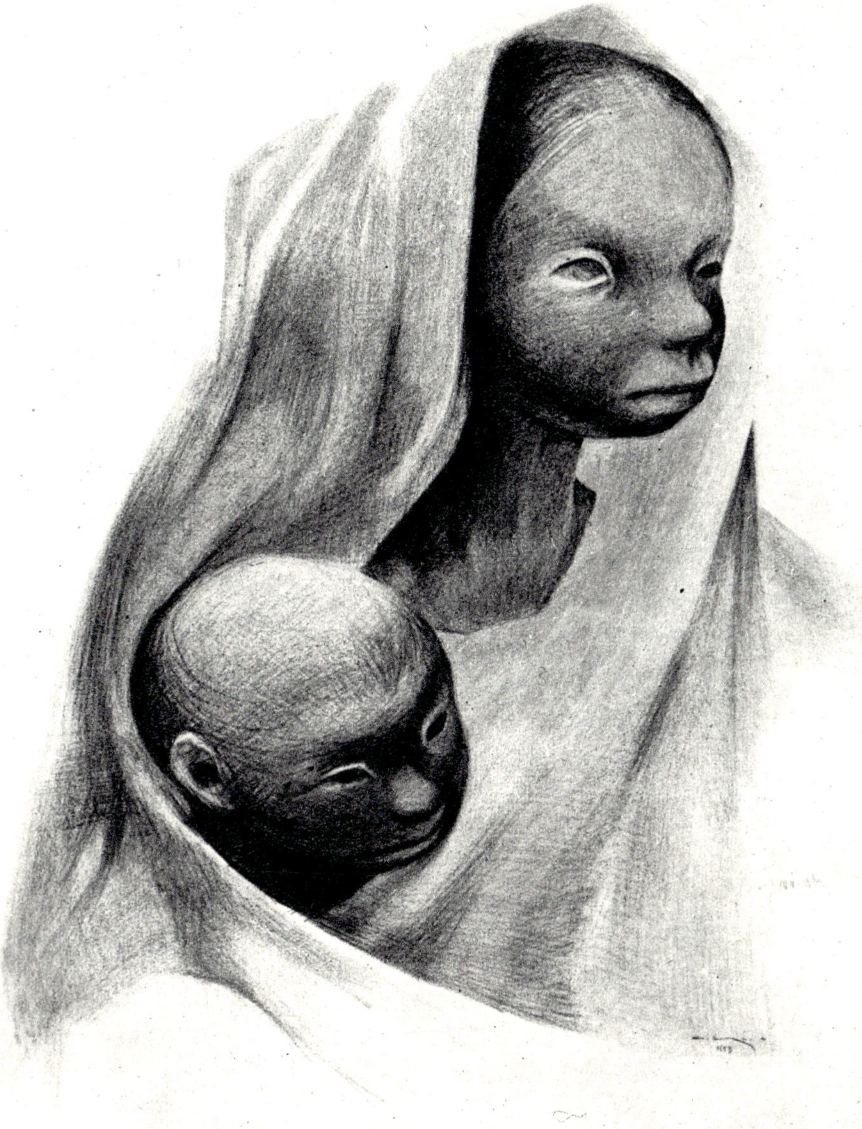

3

4

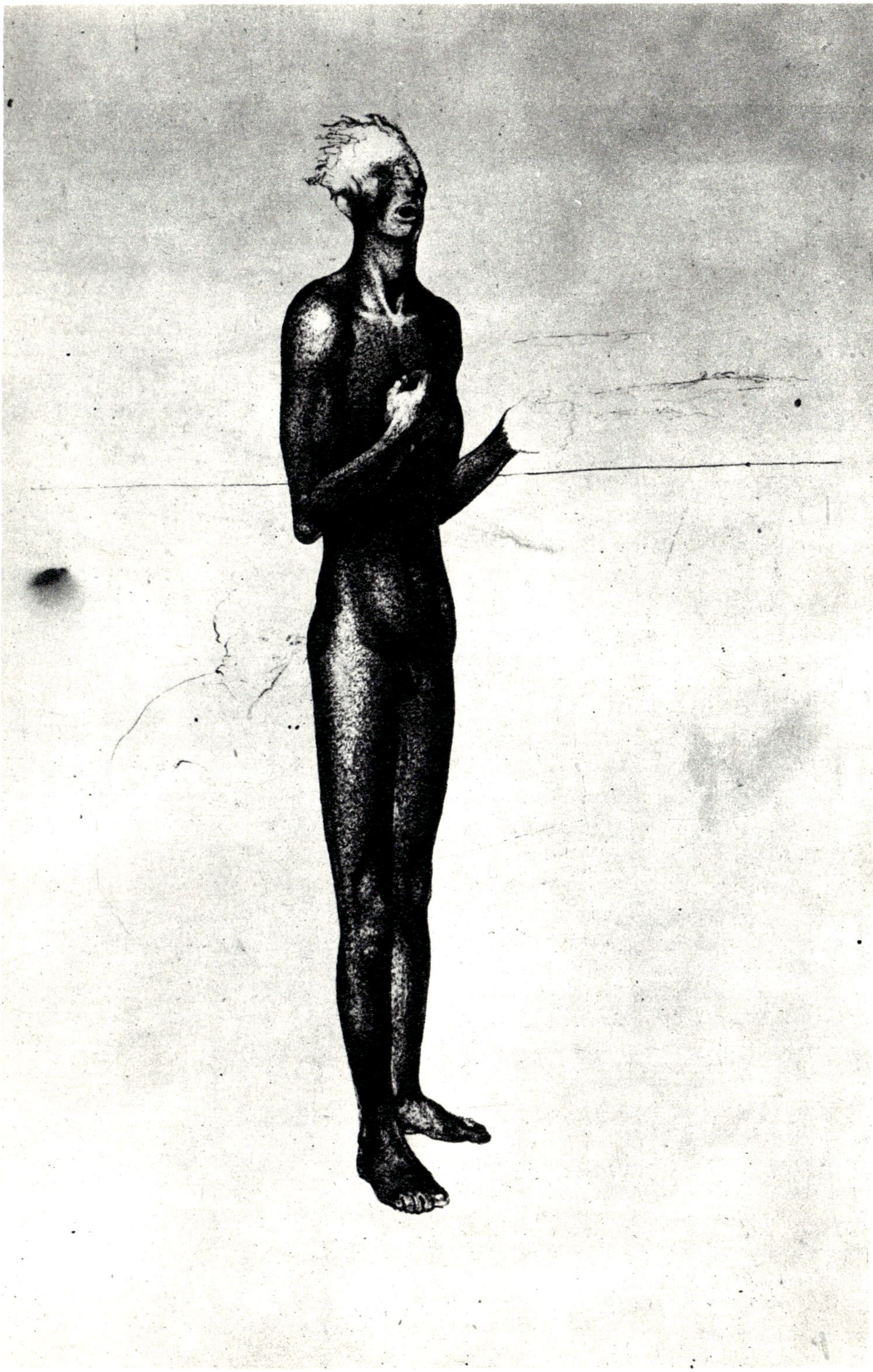

6

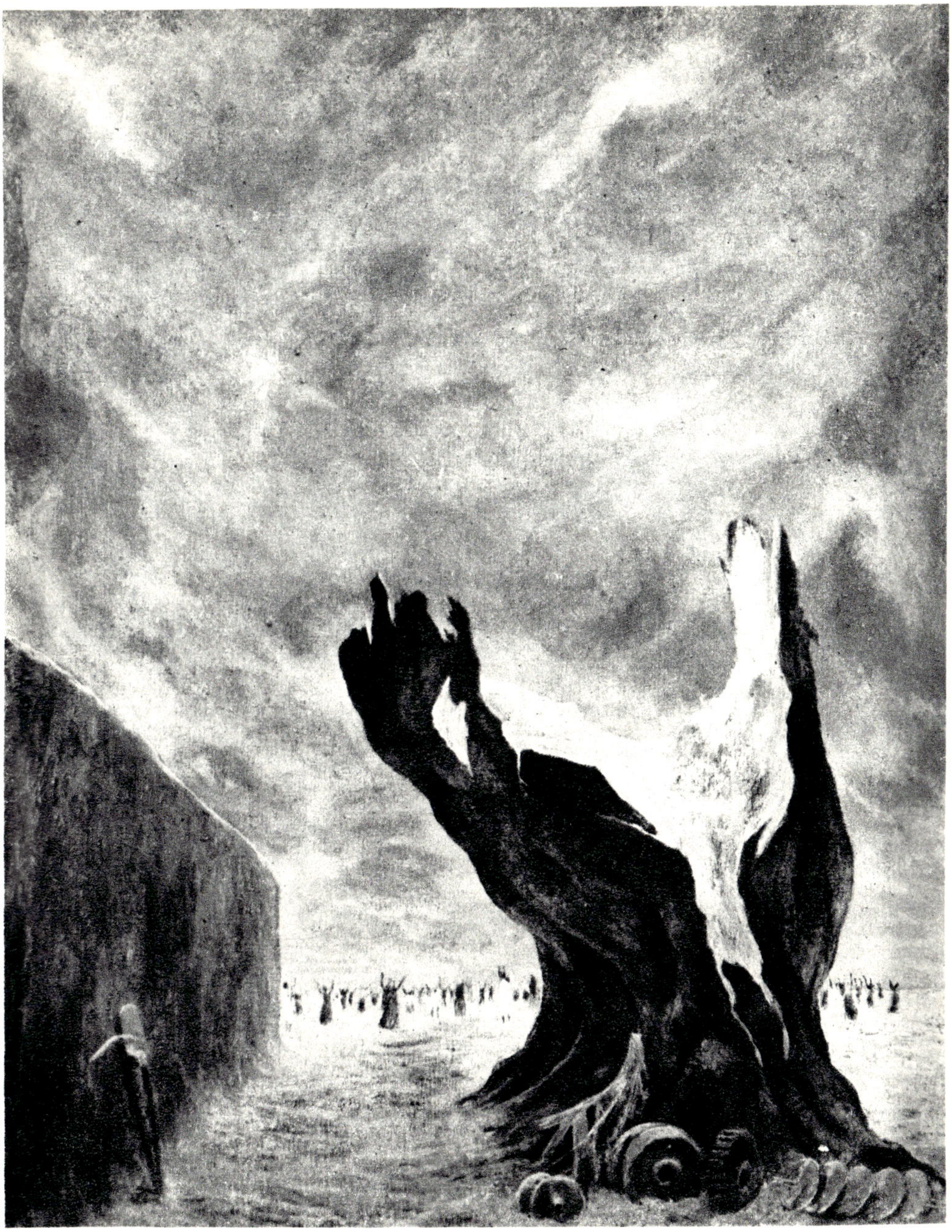

8

9

10

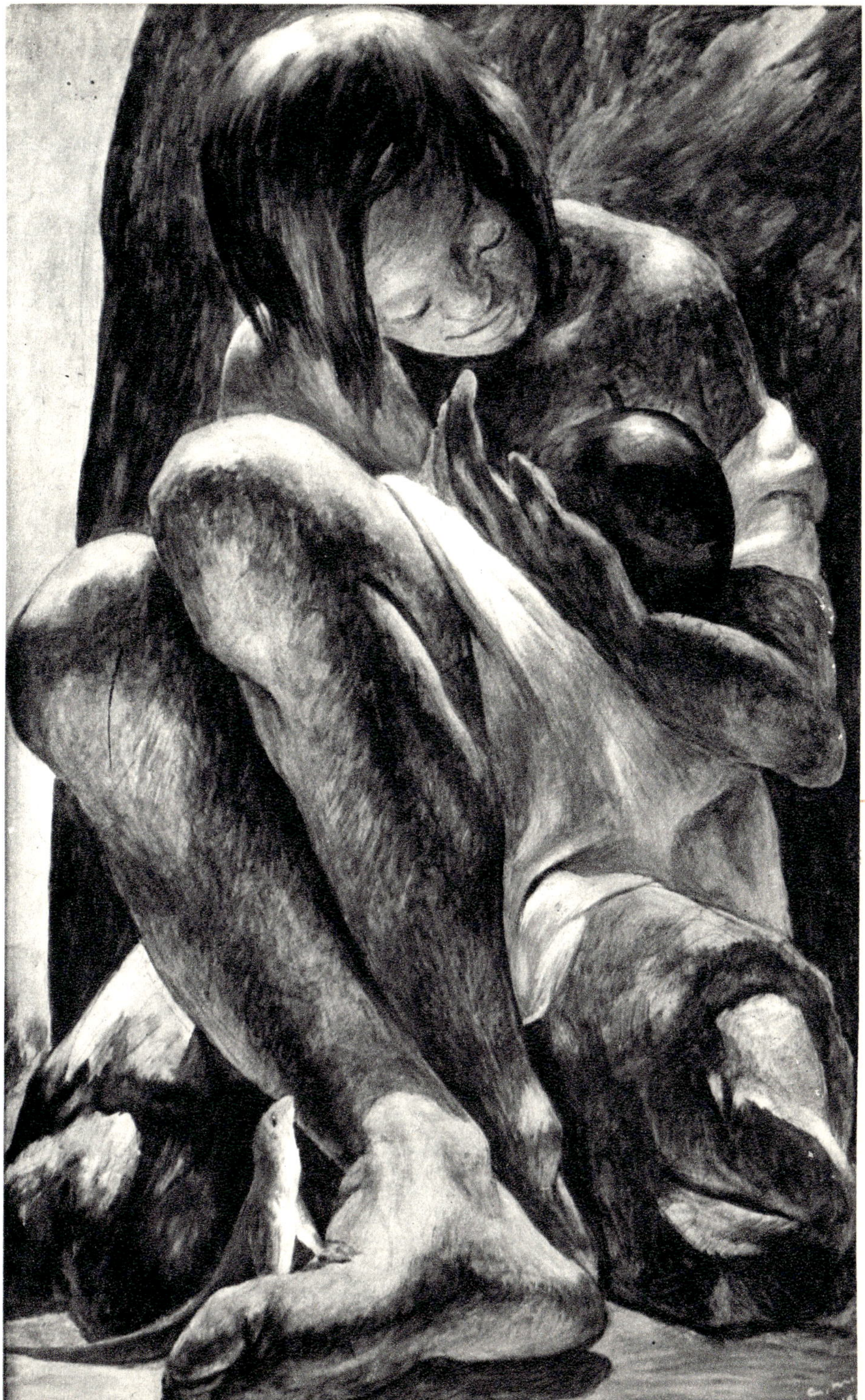

12

13

14

15

16

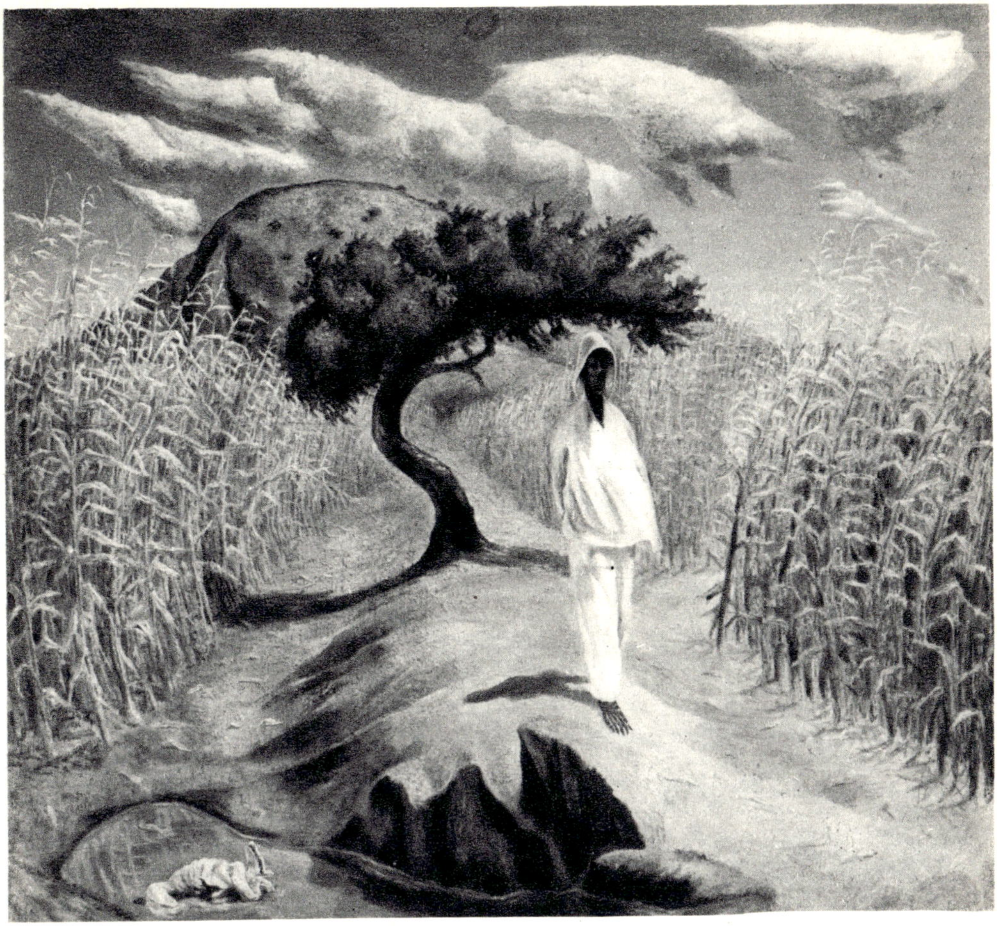

17

18

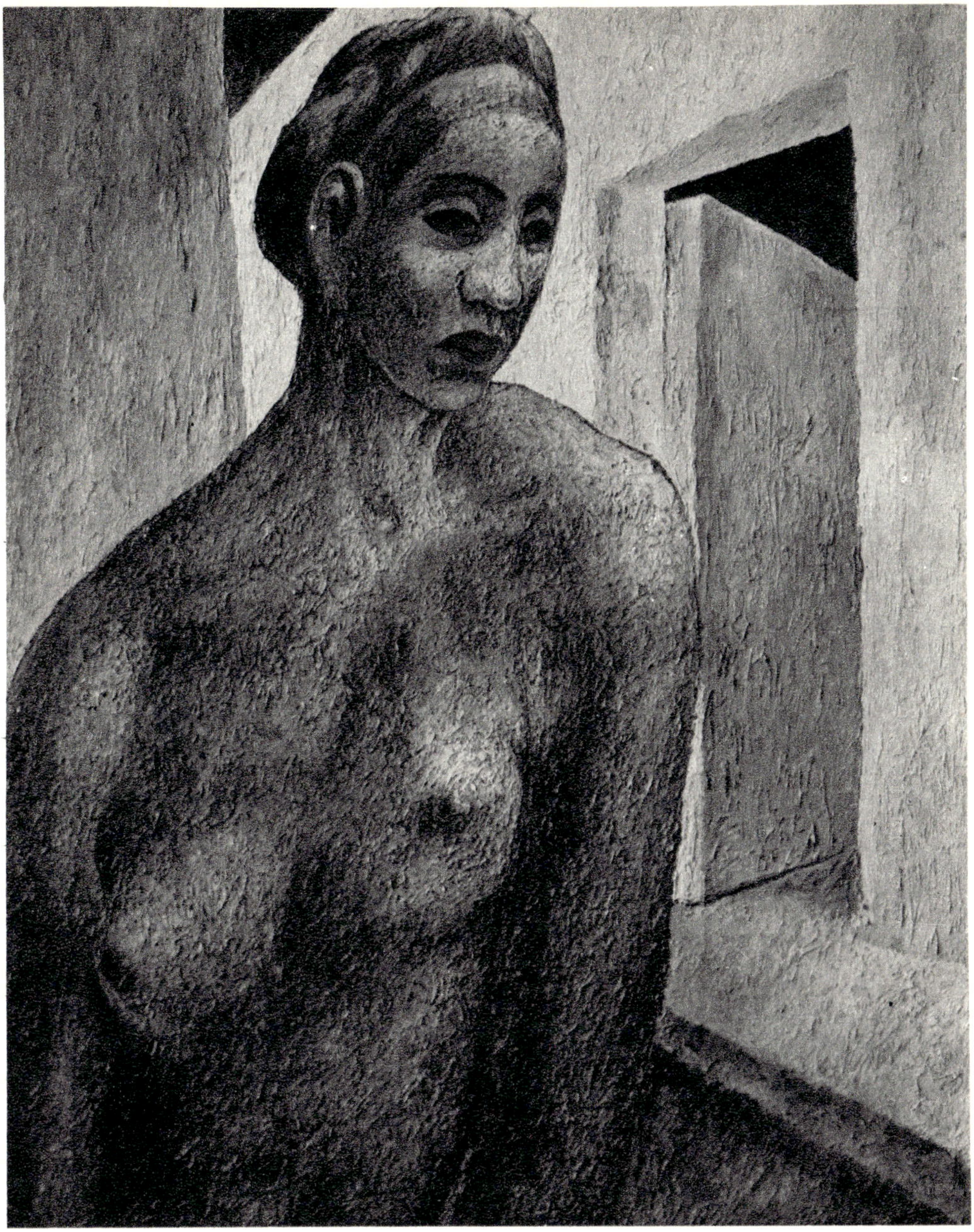

19

JUAN O'GORMAN

Retrato de la señora Saavedra. Temple. 1957. Col. Arq. Gustavo Saavedra. México.

Retrato de la Señora Henrielle Marquet esposa del arquitecto Gustavo Saavedra. Pintó Juan O'Gorman el año de 1955.

> *Juan O'Gorman, un artista plástico completo. El ejemplo de lo que todos los artistas plásticos debieran ser.*
>
> Diego Rivera.

NO QUISIERA hacerle a Juan O'Gorman la injuria —como escribía Baudelaire al referirse a Eugenio Delacroix— de un elogio exagerado. Es un buen pintor y un arquitecto rebelde. Pero eso, en nuestros días, es algo excepcional en el panorama artístico de México en el que no abundan ya los buenos pintores y sencillamente no existen los arquitectos rebeldes. En este capítulo dirigiremos nuestra atención en primer lugar a la actividad arquitectónica de O'Gorman, actividad que, en sus últimas fases, tiene una directa relación con su creación pictórica.

Parece que por una fatalidad inescrutable la arquitectura mexicana está destinada a sufrir el ahogo de los academismos. El más duradero, hasta la fecha, fue el Neoclásico, que durante todo el siglo XIX se enseñoreó del ámbito del arte mexicano como respuesta a la auténtica aspiración republicana de elevar el país a la altura cultural de las naciones europeas. Esta aspiración no murió en el terreno de la arquitectura, como pudiera pensarse, con la Revolución. Como si el ejemplo de la pintura mural no fuera suficiente para demostrar que el medio de encontrar una expresión nacional, de trascendencia universal, es el de la búsqueda de valores propios, fincados en una realidad conocida y cercana, los arquitectos mexicanos han seguido ciegamente sometidos a los lineamientos postulados por los teóricos europeos y —últimamente— por los norteamericanos. En la afrancesada época porfiriana fue el *Art Nouveau;* más tarde un extemporáneo romanticismo helenizante transformado, por una indefinida conciencia nacionalista, en un romanticismo a la mexicana, recreador de las formas coloniales, que tan lamentables —si bien explicables— creaciones produjo durante varias décadas. Fue en esos momentos, allá por 1927, cuando Juan O'Gorman, junto con Juan Legarreta —ambos recién salidos de una escuela tradicionalista, admiradora de *L'Ecole des Beaux Arts*— se alzaron en contra del academismo imperante: academismo de columnas clásicas desorientado por la buena intención nacionalista de encubrir las *nuevas* casas, hechas para la *nueva* vida de una *nueva* sociedad, bajo un escenográfico aspecto tradicional arrancado de la Colonia, lo que probó, un vez más, que los grandes movimientos no se hacen sólo con buenas intenciones.

El "funcionalismo", última consecuencia de la *Bauhaus* europea, era entonces lo revolucionario, y O'Gorman y Legarreta fueron en México los rebeldes que erigieron el principio de Le Corbusier: "la casa es una máquina para vivir", como bandera de renovación, como señal de solución arquitectónica perfecta para un mundo distinto. Lo "funcional" fue para México lo que el Surrealismo para Europa: el arma destructora de una densa corriente sin salida; la espada de doble filo que cegando al monstruo moribundo del academismo abría al mismo tiempo la cortina tras la cual se extendían los horizontes sin término del modernismo. A tal grado se trató de cambiar el criterio artístico dominante que la revista *Forma*, la más importante publicación sobre arte en esos años, voz la más potente de los artistas progresistas, publicó —muy en serio— a plana entera, la fotografía de un excusado inglés con un pie de grabado que hoy resulta increíble pero que entonces era la cosa más natural del mundo: "Los espíritus timoratos, encasquillados por la costumbre de justipreciar la belleza por el "asunto", no entenderán jamás que esta estructura de porcelana blanca es tan hermosa en sí como la arquitectura de una flor o la de un fruto" *.

Los artistas tal vez lo creyeron. El público no. Sin embargo el "funcionalismo" tuvo éxito —no podía ser de otra manera en un momento como ése en que era necesaria una salida del caos academicista—, primero a pesar de los viejos maestros y con gran entusiasmo de los arquitectos jóvenes; después, con tal apasionamiento por parte de unos y de otros, que con el transcurso de algunos años el movimiento se transformó en un nuevo academismo. Claro está que al transformarse en academismo no sólo se anquilosó, sino que degeneró gravemente. Y del "funcionalismo" estricto en el que la forma arquitectónica era una consecuencia directa del funcionamiento de los distintos elementos del "programa" (las ventanas de la dimensión exacta para iluminar suficientemente un recinto; los espacios indispensables para circular libremente; la mayor eficacia con el mínimo de esfuerzo; "la máquina perfecta para vivir"), se pasó a un esteticismo antifuncional identificado con la corriente formalista de la pintura abstracta. Los arquitectos se olvidaron —se han olvidado— de la esencia humanista de la Arquitectura, encerrándose en un cubismo infranqueable que parece no tener salida —¡horror a la línea curva! ¡predominio absoluto del rectángulo!— y a la construcción de uno tras otro de esos edificios que no son sino gigantes escaparates, estructurados a base de postes y de losas de concreto, que sólo cambian en la disposición de la *manguetería* de metal que enmarca los grandes vidrios según el concepto más superficial del llamado arte abstracto: los palitos de Mondrian jugando con los pavorosos espacios vidriados, a todo piso, por donde el sol y el frío entran con igual beligerancia. Ha llegado el momento en que Juan O'Gorman se mesa los cabellos y se desgarra las ropas al pensar que fue, él, uno de los que originaron, con su

---

* *Forma*. Revista de Artes Plásticas patrocinada por la Secretaría de Educación Pública y la Universidad Nacional. Nº 8. 1928.

juvenil rebeldía, el drástico cambio de la arquitectura hacia estos rumbos. Su falta consistió en haber vuelto los ojos hacia Europa y sobre todo hacia Le Corbusier, en lugar de fijarlos en América como punto de partida para una creación propia, hacia la obra de Frank Lloyd Wrigth el genial arquitecto, padre de la arquitectura contemporánea, quien considera justamente la importancia que tienen en la arquitectura actual, como en la arquitectura de todos los tiempos y de todos los países, los factores regionales, históricos, físicos, artísticos y humanos.

El academismo esteticista domina actualmente el campo de la arquitectura mexicana con el emblema de la "internacionalización". Nuevamente se pretende, como en el siglo XIX, ser iguales a los demás países del mundo tratando de alcanzarlos por un camino que ellos han trazado —y siguen trazando— por razones naturales de orden político y económico; camino en el que, por consiguiente, sólo podremos seguir sus huellas. Más aún cuando la nueva Academia Mexicana, lejos de encauzar las inquietudes y el espíritu de rebeldía de la juventud, trata de abolir toda posibilidad de afirmar el resurgimiento verdadero de nuestra arquitectura en la conciencia de la realidad social, económica y artística del pueblo de México.

El mismo Juan O'Gorman ha sido, en parte, víctima del monstruo que inconscientemente engendró. El proyecto que originalmente hizo para la Biblioteca Central de la Ciudad Universitaria (superposición de estructuras escalonadas, cubiertas con mosaicos de piedras naturales) fue rechazado por no estar acorde con el estilo "internacional" de la más grandiosa manifestación del esteticismo arquitectónico actual. Fue así que tuvo que adoptar las formas Lecorbusianas de moda —el rectángulo, soberano absoluto de la composición— si bien, acorde en su rebeldía, naturalmente, con la lógica arquitectónica, evitó las ventanas inútiles en los pisos en que se guardan los libros y cubrió los amplios muros con ese impresionante macizo policromo de mosaico hecho todo con piedras de colores naturales, en el que alude, en una concepción pictórica monumental, a la tradición cultural de México, sustento inconmovible de la Universidad: de un lado el pasado prehispánico, mundo mágico en el que las artes y las ciencias tuvieron un desenvolvimiento y unas manifestaciones todavía increíbles en su magnificencia para Occidente; en el otro, el pasado europeo heredado de España. Tradiciones que concurrieron para conformar en el crisol de la Colonia al México contemporáneo, y que lo conducen, vivas en el espíritu de la juventud, hacia un futuro promisor, hacia una verdadera y nueva *Grandeza Mexicana,* no obstante los amenazantes factores negativos.*
Las salas de lectura de la gran Biblioteca están iluminadas por la luz que atraviesa las vidrieras de *tecali,* hermosa luz matizada que tan sabiamente emplearon en sus iglesias los arquitectos coloniales. Algunos relieves, aferrados a la tradición prehispánica en su forma, reflejan sus perfiles en los espejos de agua, comunicando nuevamente a la arquitectura una vida que había perdido con el desprecio del funcionalismo por la calidez, la emotividad y el humanismo de la decoración.

---

* La descripción detallada de la decoración de la Biblioteca aparecerá, acompañada de varios croquis explicativos, en el libro *Los murales de la Ciudad Universitaria,* de este mismo autor, que será publicado en breve por la UNAM.

Es desde luego explicable que un edificio como la Biblioteca de la Ciudad Universitaria, contenida manifestación de la rebeldía de Juan O'Gorman ante el negativo academismo de la arquitectura actual de México, sea tenazmente criticado por los arquitectos que han realizado, de acuerdo con la facilidad *internacionalista*, —"todo está ya definido en la arquitectura, nada nuevo hay que buscar; basta con adaptar el criterio internacional a nuestras necesidades"— aquellos otros edificios que son, con algunas contadas excepciones, bastardos derivados de la arquitectura norteamericana y europea. Pero también es explicable que en el edificio de O'Gorman todo el mundo detenga su mirada, gozando de las formas coloridas del mosaico de piedra, disfrutando, por primera vez en muchos años, del pleno goce de una arquitectura que es íntegramente arquitectura y que por ello destaca en un mar congelado de edificios transparentes que en su esteticismo nada dicen y que no hacen sentir ninguna emoción vital a quienes los viven.

Y es que la arquitectura es algo más que el logro del funcionalismo perfecto en un edificio. Necesita de un carácter, de un ambiente (que sólo el arte proporciona) que la haga "vivible" por así decirlo, "vivible" humanamente y no sólo "habitable", porque habitables son también las cavernas y las primitivas enramadas. ¡Qué enorme diferencia hay entre volverse loco de voluptuosidad arquitectónica en Venecia o en Guanajuato —"carroñas venerables" según Le Corbusier— y permanecer indiferentes en medio de ese ordenamiento de muros interminables y oscuros del Pedregal de San Angel! No puede imponérsele para vivir a un pueblo de sensibilidad artística barroca, como es el mexicano, creador de paraísos plásticos como Mitla, como Tonantzintla, o como Guadalupe, de Morelia, en época más reciente, una ciudad surgida de mentalidades nórdicas que responden, en su creación, a exigencias y a raíces estéticas radicalmente distintas, por más que éstas sean auténticas en su medio propio.

Juan O'Gorman sabe en qué consiste el "duende" —escamoteándole a Federico García Lorca el término que aquí nos hace falta— de la arquitectura. Y trata de encontrarlo a su manera. Es indudable que su educación pictórica fue un factor decisivo en su hallazgo de la verdadera integración plástica contemporánea —arquitectura y mosaico— tan desvirtuada por los caprichos de algunos otros pintores. Su educación pictórica y su íntima amistad con Diego Rivera; ya que Diego fue quien primero empleó en México (en los techos de su casa y de su museo de piezas arqueológicas) el mosaico de piedrecillas blancas y negras, a la manera de los pisos pompeyanos, haciendo con ellas dibujos en la cimbra antes de cubrirla con el manto de concreto. Si a Rivera se debe la idea original, a O'Gorman le corresponde haberla llevado a su máxima posibilidad artística al realizar mosaicos de proporciones monumentales y con piedras de colores naturales.

El sistema, por su carácter arquitectónico, ha sido empleado cuando menos en dos grandes edificios: la Biblioteca de la Ciudad Universitaria y la Secretaría de Comunicaciones (en donde intervino en la decoración, además de O'Gorman, el pintor José Chávez Morado), aparte, claro está, de los techos y paredes de la casa del propio Juan O'Gorman en donde viven numerosas figuras imaginarias proyectando la alegría de su color en la atmósfera de las habitaciones.

Por más que Juan O'Gorman haya extremado su actitud antiformalista en la decoración de su casa, resulta interesante observar los resultados de su inquietud, de su gusto personal, de su rebeldía. Su casa es una locura, pero una locura en serio; valiosa como documento de esa polaridad actual entre la posición artística de O'Gorman y la de los demás arquitectos. De hecho él es un Gaudí mexicano en potencia (y eso sólo porque Gaudí creó sus obras años antes, no porque existan contactos esenciales entre las dos manifestaciones arquitectónicas), que busca, cuando menos en sus obras últimas, un punto posible de contacto entre la arquitectura moderna y las raíces profundas en que se nutre el gran árbol secular del arte de México. Por extremista que sea su postura, es explicable como reacción violenta y apasionada en contra del internacionalismo conformista de la nueva Academia.

* * * * * * * * * * * *

Como pintor Juan O'Gorman se relaciona en cierto modo con los artistas del miniado que tienen su principio en la Edad Media y un puente prodigioso en los flamencos. Su pintura dibujística —cada figura encerrada en un contorno definido— es obra de ciencia y paciencia. Cada uno de sus cuadros muestra una compleja disposición de elementos que a partir de la sección dorada se estructuran en abarrocados conjuntos que son una clara evidencia de su desbordada fantasía.

O'Gorman se ha enclaustrado en una sola técnica, la del temple. No se piense, sin embargo, que esto es para él una limitación, sino muy al contrario; en el temple ha encontrado el medio ideal de su expresión pictórica tan llena de sutilezas. El fino y delicado tratamiento de sus imágenes no podría obtenerlo con ninguna otra técnica, menos aún con el óleo, propio de los pintores —valga la redundancia— pictóricos. El temple es el alma de su pintura, la clave de su estilo, el factor decisivo de su originalidad auténtica.

Tres son, a grandes rasgos, las modalidades principales de su obra: las alegorías, el retrato y el paisaje; las tres unidas por un espíritu común, gustoso del detalle, cuidadoso en la ejecución, equilibrado y armonioso en la policromía. Y digo a grandes rasgos puesto que, de hecho, no es posible establecer una radical división entre estas modalidades, ya que las primeras casi siempre se desarrollan ante un escenario paisajista; en sus retratos existe, casi siempre también, un carácter alegórico, y en los paisajes propiamente dichos intervienen elementos que corresponderían a una u otra de las modalidades anteriores.

A pesar del carácter imaginativo de las pinturas de Juan O'Gorman, hay en ellas una constante y directa alusión a la realidad. Nada hay de onírico —como se ha pretendido— en esos mundos creados por él a partir del encuentro de lo geológico y lo vegetal, lo paleontológico y lo arquitectónico, lo humano y lo cósmico. No hay por qué identificar las esferas insondables del sueño con los vuelos, subjetivos pero conscientes, de la imaginación. O'Gorman emplea la pintura como un medio de fijación plástica de su interpretación de la vida natural y humana. Visión analítica, desmenuzadora de la historia pasada y actual, visión crítica.

La imaginación —¿acaso existe el arte sin imaginación?— es el factor poético en la pintura, el principio creador: manto envolvente que enajena al espectador del ámbito de la cotidiana realidad para conducirlo, como en una mágica alfombra, a los dominios sin horizonte del arte. La imaginación del artista, cuando ha adquirido forma visible en un buen cuadro, es la puerta abierta hacia un recinto inesperado; nos incita a cruzar el umbral y a sumergirnos en esa ideal atmósfera pintada. A partir de ese momento no existen para nuestros sentidos sino la flor, la montaña, el ave, la ciudad, los personajes del cuadro; convivimos con ellos en el campo del lienzo, los sentimos reales y palpitantes. Es como si nos transformásemos, gracias a la imaginación, nosotros mismos en pintura.

Es por eso que gracias a su fantasía Juan O'Gorman puede conducirnos —Virgilio de su pintura— al través de los múltiples círculos de sus obras. Allí encontraremos personas y cosas que han surgido de nuestra realidad histórica, objetiva, sólo que enclavadas en un orden distinto, transformadas, por voluntad del artista, en habitantes de infiernos y paraísos diferentes a los que estamos acostumbrados a imaginar.

El inframundo del Eclecticismo es tan tremendo que no tiene uno más remedio que aspirar a salvarse por la gracia de la pasión. La muerte lo preside levantando su doctoral mano esquelética. Allí están, encerrados y en tinieblas, los sacerdotes prostituidos, los ricos desorbitados, los tanques lanzallamas de la guerra, las mujeres perversas danzando con grifos y serpientes que parecen haber salido del microcosmos del Bosco. Adán y Eva, cerca del famoso árbol —*"omni scientia"*— señalan el túnel de salida hacia la luz, el campo fecundo de la vida en el que se levanta la montaña grandiosa de la civilización con sus ciudades nuevas, sus ruinas venerables, sus graneros repletos y sus mares surcados por los barcos mercantes. El Arca de Noé de la técnica ha salvado del caos al género humano. Y todo ello pintado por tres simples obreros que trabajan, silenciosos, en un ángulo del cuadro.

Esta actitud crítica de O'Gorman reaparece en varias de sus pinturas alegóricas. La eterna dualidad enemiga que preside la vida de la humanidad: la ciencia, lo bueno; el mito, lo malo; lo constructivo y lo destructivo; los que están con el Hombre —con mayúscula— y los que están contra él; los decadentes retóricos de la intelectualidad —"ni son todos los que están ni están todos los que son"— declamando en su torre de marfil y enseñoreados por la muerte, muerte que, como las de Posada, lleva puestos aún sus botines de *catrina*. Al otro lado aparece el panorama esplendoroso del progreso presidido por la vida: esa mujer desnuda que lleva la serpiente de la sabiduría en una mano: "entre la filosofía y la ciencia hay bastante diferencia".

Crítica fuerte, ironía tremenda que responde a una inquebrantable y sincera ideología. Pintura de caballete que es una resonancia de la estentórea voz del muralismo: el mismo espíritu de Orozco repudiando al Facismo está presente en las serpientes —Hitler y Mussolini— que emergen del torreón de un castillo feudal y también en la ridiculización de ese rey condecorado, dictador entre todos los dictadores, cuya vida es la antítesis de la muerte de Cristo: si en el Gólgota colgaron de las cruces dos ladrones, ahora del pecho del ladrón cuelgan las cruces. O'Gorman coincide con Rivera en ese amor por el pueblo sufrido: en ese obrero muerto, o en esos pobres hombres que comparten el pan de su miseria, o en esos miserables, constructores del gran capitel jónico de la cultura occidental que han utilizado el clero y los capitalistas para erigir su quimera de alas de cartón dentro de la cual se sienten tan seguros.

Tal vez del sentido arquitectónico de Juan O'Gorman surja el ansia de transformar la estructura geológica de las montañas en superestructuras de torres y de muros, de puertas y ventanas. Hay algunos cuadros notables por la monumentalidad que alcanzan en su meticulosa factura y en tan diminuta proporción. Ciudades míticas formadas por girones fantásticos de edificios superpuestos: *De unas ruinas nacen otras ruinas; fúnebres monumentos al capitalismo industrial* en donde se hacinan, con nítidos perfiles, centenares de fábricas defendidas por cañones agresivos, hornos incandescentes, turbinas incansables, humeantes chimeneas, estructuras metálicas que son el esqueleto rígido de una época en desintegración. Sólo permanecen, minadas en su base, las estatuas fastuosas de ricos industriales que enarbolan inútilmente, en una de sus manos de piedra, la débil llama de la libertad.

O'Gorman ha tratado conscientemente de establecer un nexo entre su pintura y el arte popular, no solamente por medio del color sino por la incorporación, en sus cuadros, de algunos elementos que el pueblo emplea a menudo en sus ingenuas obras artísticas, tales como las banderitas tricolores, los globos llamados de Cantoya, palomas mensajeras y numerosos letreros pintados en listones o en tiras de papel. Sin embargo, en esos toques de cursilería popular es evidente el artificio. El nacionalismo de su obra, más que en esos detalles, está en la manera en que compone, en el ambiente que refleja, en la atmósfera que en sus cuadros se respira. Es algo que trasciende lo formal, algo inmanente que aunque no quiera el artista —cuando es auténtico— surge en cada pincelada comunicando a su obra un carácter diferencial. Es algo que se asimila al contacto con una tradición y una vida, distintas en muchos aspectos a la tradición y a la vida de otros países. El pintor mira el mundo —mal que le pese— a través del cristal de su atmósfera histórica de la cual no es él responsable.

De ahí la diferencia esencial que hay en su cuadro *Píntame volando*, en el que una mano —su mano— sostiene un ramo de flores, con aquel tan semejante en composición que pintó hace casi cien años el "aduanero" Rousseau. La coincidencia formal es un accidente. O'Gorman pintó su cuadro ignorando la existencia del que hizo el *douanier* y a sugerencia —una ocurrencia de momento— de la pintora Frida Kahlo. Ya Ramón Gómez de la Serna en España y Francisco de la Maza en México, han reconciliado a lo cursi con el arte, valorándolo acertadamente como una categoría estética. Estos dos cuadros, el mexicano y el francés, pertenecen a esta categoría. Aun en eso tienen puntos de contacto. Pero hay algo esencialmente distinto en uno y en otro. Por más que Rousseau haya estado en México, como tanto se ha dicho, y haya captado algunos aspectos del arte popular del siglo XIX, su deliciosa obra cursi está impregnada del *esprit* francés; la de O'Gorman, por más que esté pintada con una técnica aprendida de un pintor inglés —Cecil Crawford O' Gorman, único maestro de su hijo— está imbuido de eso que se ha dado en llamar, cursimente también, el "Alma Mexicana". Sus paisajes realistas viven gracias al soplo intangible de esa "alma". Y tal vez más intensamente, puesto que en ellos están plasmados los caracteres regionales de la arquitectura y de la geografía de los pueblos de México. Basta con observar la disposición arbitraria de las mantas albeantes en el concurrido mercado del *Santuario de Chalma* o ese elogio al delicioso absurdo urbanístico que es *Guanajuato;* la jerarquía constructiva de las casas, con relación a la capilla, del *Cerrito del Tepeyac;* los pilones de piedra de *Los Remedios* unidos por la columna vertebral del viejo acueducto, o el azul añil contrastando, provincianamente, con los tejados rojos de la *Cuernavaca* pre-turista. Y qué decir de su estupenda *Ciudad de México* en donde reúne el pasado y el presente al pintar, en primer término, sostenido por sus manos, el plano más famoso que se hizo de la capital en el siglo XVI —atribuido falsamente al cosmógrafo real Alonso de Santa Cruz— y como fondo perspectivo la moderna ciudad con sus elevados rascacielos, cuadro que es un verdadero alarde de su técnica al temple, matizada por finos esgrafiados.

Juan O'Gorman es un retratista a la altura de los grandes maestros mexicanos. Sus personajes están allí, en el cuadro, sentados en la sala luminosa de la pintura y charlando plásticamente con el espectador. Son tan serios, tan dignos, que no les quedan mal esos pequeños globos o esos paracaídas flotando a sus espaldas, ni está de más tampoco el papel recién desdoblado que nos dice de quiénes se trata. Con la excepción de uno de ellos, el retrato de una negra en el cual se nota la influencia de Diego Rivera, no sólo en la selección del modelo, sino aun en los tonos y la forma en que está pintada, tal parece que al pintor le cuesta un gran esfuerzo someter su imaginación a la escueta representación del modelo, pues siempre añade en la composición elementos fantasiosos que acentúan el carácter de cada personaje retratado. Es por demás notable cómo cuida el trabajo de *encarnado* en la piel, tan sutil en matices; el laborioso entramado de las telas, tejidas casi hilo a hilo con la punta coloreada de los pinceles agudos, y la suave tersura del cabello.

* * * * * * * * * * * *

Juan O'Gorman ha ejecutado dos obras murales de importancia en las cuales es posible observar la influencia que Rivera ha ejercido en él. Los murales del antiguo Puerto Aéreo, pintados al temple, y el mural al fresco de la biblioteca Gertrudis Bocanegra, en Pátzcuaro. En el primero la influencia de Rivera es en cuanto a concepto. La gran alegoría de *La conquista del aire por el hombre* está hecha con ese criterio histórico-anecdótico que el maestro ha mostrado en todos sus murales, con abundante empleo de los retratos. Sin embargo, la influencia formal es casi nula: los globos (tal vez aquí se iniciaron en su pintura), las ciudades, los límpidos paisajes, la cuidadosa preocupación por los detalles, los letreros constantes, son de O'Gorman. En el mural de la biblioteca de Pátzcuaro —grandiosa Crónica de Michoacán que abarca desde los tiempos del dios Curicaberi hasta la Revolución de 1910— no sólo en el concepto sino aun en la forma aparece el índice conductor de Rivera. Juan O'Gorman siguió allí, como el mejor, las enseñanzas del maestro del fresco en México y el resultado final fue esa gran obra que, como Justino Fernández ha observado, es el mural de mayor aliento y calidad que se ha ejecutado por un pintor de la generación posterior a Orozco, Rivera y Siqueiros. Hay en ella fragmentos estupendos, plenos de pasión y de entusiasmo por la interpretación plástica de la historia. El paisaje de volcanes y de lagos de Michoacán, paisaje de fuego y de agua, es la escenografía grandiosa en ese drama secular de los indios tarascos, creadores de una civilización que pudo —la única— mantener su independencia frente al imperialismo guerrero de los mexicas, pero que sucumbió ante la perfidia y la crueldad del tristemente célebre Nuño de Guzmán y de sus soldados, bañados en resplandores de armaduras y cuchillos. El peso de la tragedia no se pudo contener ni con la cruz franciscana de Fray Juan de San Miguel, ni con la organización comunal de Vasco de Quiroga inspirada en la Utopía de Moro, ni aun con la bandera liberadora de Morelos y Zapata. Empero los tarascos mantienen en sus pechos el rescoldo rebelde que puede encender las hogueras de su emancipación. Es por esta obra que puede incluirse a O'Gorman, con pleno derecho, entre los participantes de importancia en el movimiento muralista de México.

El más famoso autorretrato de Juan O'Gorman, aquel en el cual aparece en diferentes actitudes al mismo tiempo, nos da perfecta cuenta de su personalidad y de las características de su estilo; allí están, en la estructura y en la ejecución de la pintura, no sólo figurativa, sino implícitamente, la ordenada composición del arquitecto, la línea concisa y firme del dibujante, la maestría del pintor, la afición biológica del naturalista y la original fantasía de un artista verdaderamente notable en el panorama de la pintura mexicana del siglo xx.

ILUSTRACIONES

1. *Autorretrato*. 1950. Temple.
2. *Retrato de la Sra. Helen Fowler O'Gorman*. 1940. Temple.
3. *Retrato de una burguesa*. 1942. Temple.
4. *La Ciudad de México*. 1942. Temple.
5. *Recuerdo de Los Remedios*. 1943. Temple.
6. *Los Mitos*. 1944. Temple.
7. *Recuerdo de Cuernavaca*. 1943. Temple.
8. *Recuerdo de Chalma*. 1942. Temple.
9. *Consumatum est*. 1945. Temple.
10. *Entre la filosofía y la ciencia hay bastante diferencia*. 1948. Dibujo a tinta.
11. *Entre la filosofía y la ciencia hay bastante diferencia*. 1948. Temple.
12. *Píntame volando*. 1945. Temple.
13. *Flores imaginarias*. 1944. Temple.
14. *De unas ruinas nacen otras ruinas*. 1949. Temple.
15. *La conquista del aire por el hombre*. Mural hecho para el antiguo Puerto Aéreo de la Ciudad de México. Lado izquierdo. 1937. Temple.
16. *La conquista del aire por el hombre*. Parte central del mural.
17. *La conquista del aire por el hombre*. Lado derecho del mural.
18. Mural del antiguo Puerto Aéreo de la ciudad de México. 1937. Temple.
19. Mural en la Biblioteca "Gertrudis Bocanegra" de Pátzcuaro, Mich. 1941. Fresco.
20. Mural en la Biblioteca "Gertrudis Bocanegra". Fragmento.
21. Mural en la Biblioteca "Gertrudis Bocanegra". Fragmento.

1

2

3

4

5

6

1

8

9

10

11

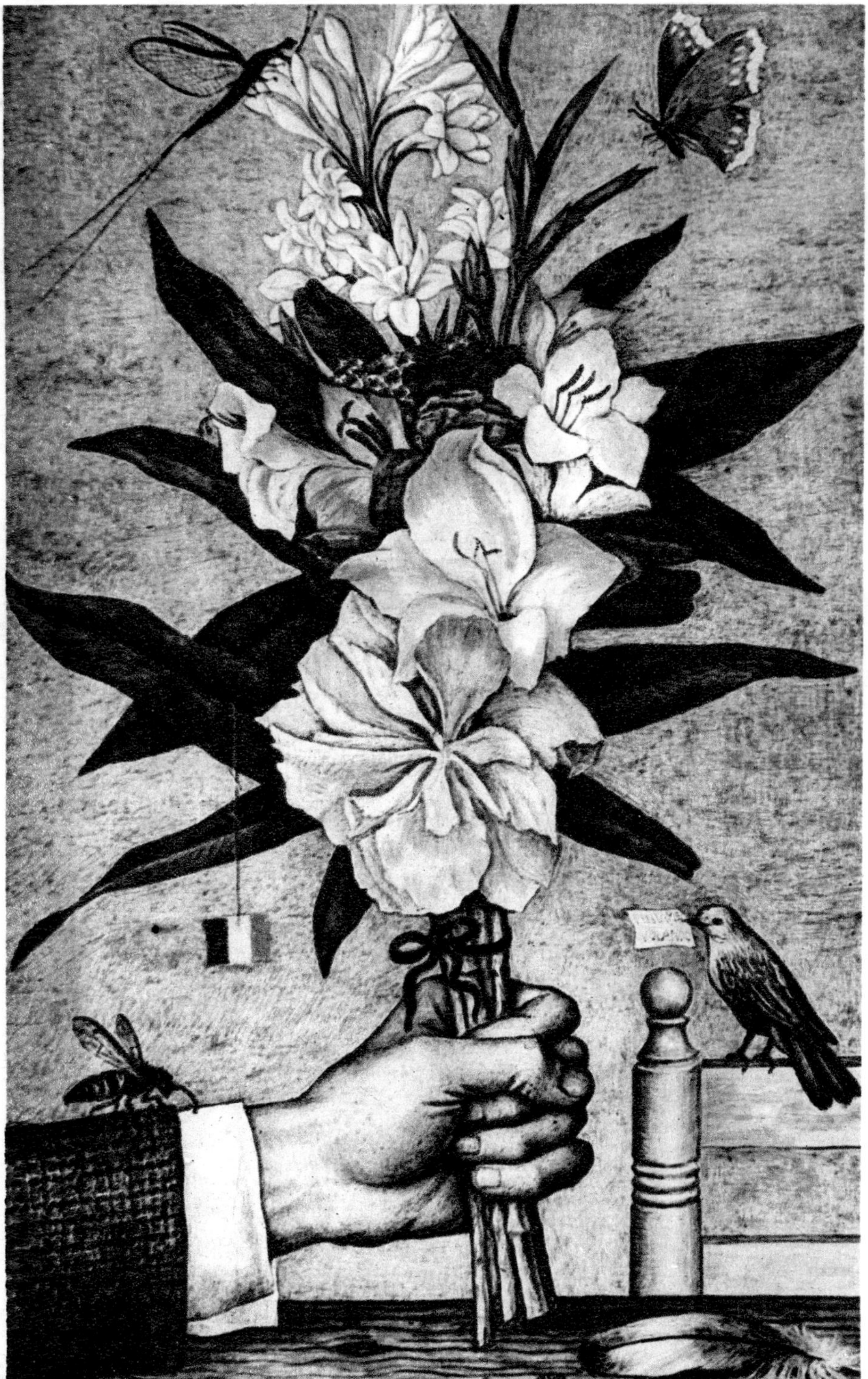

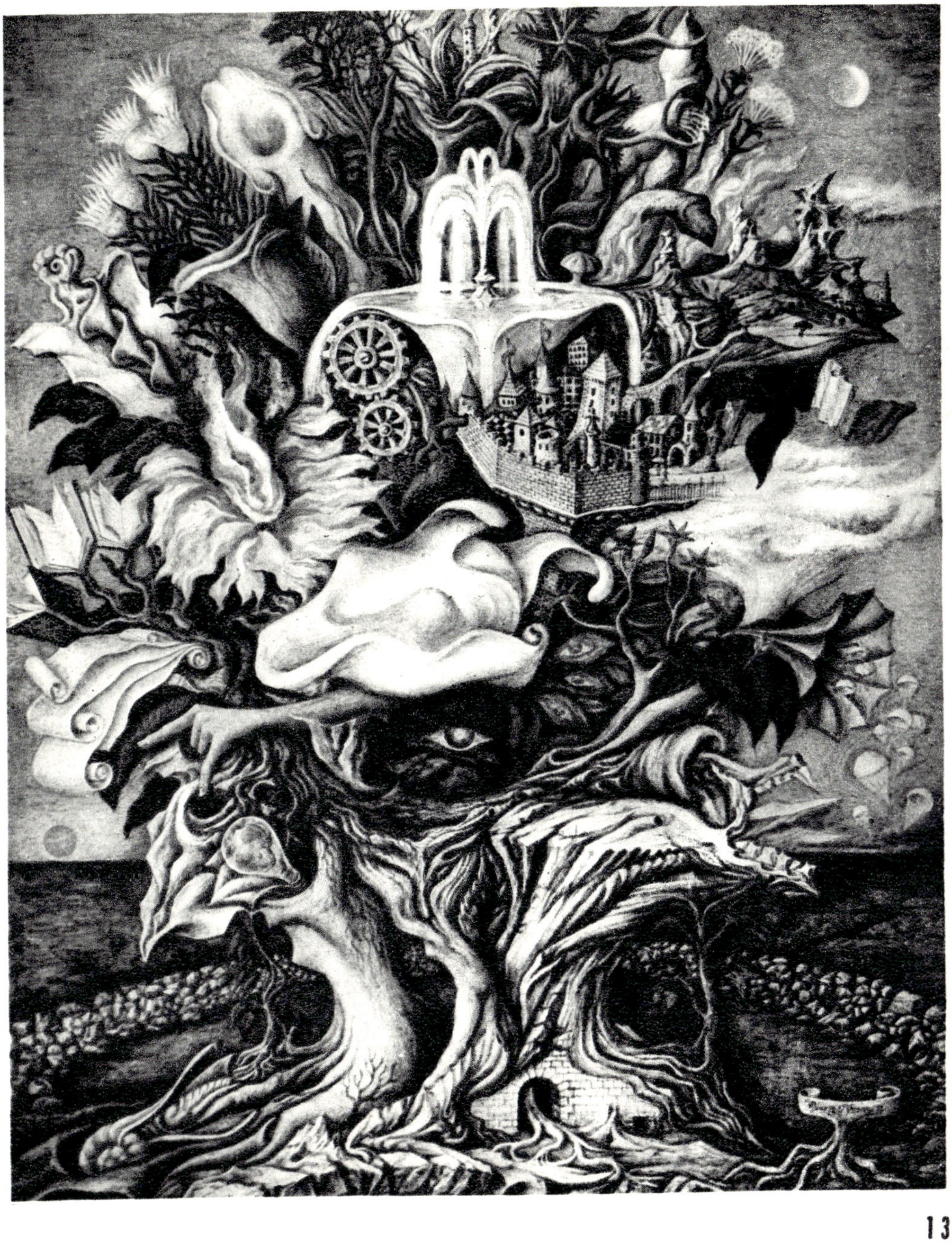

14

15

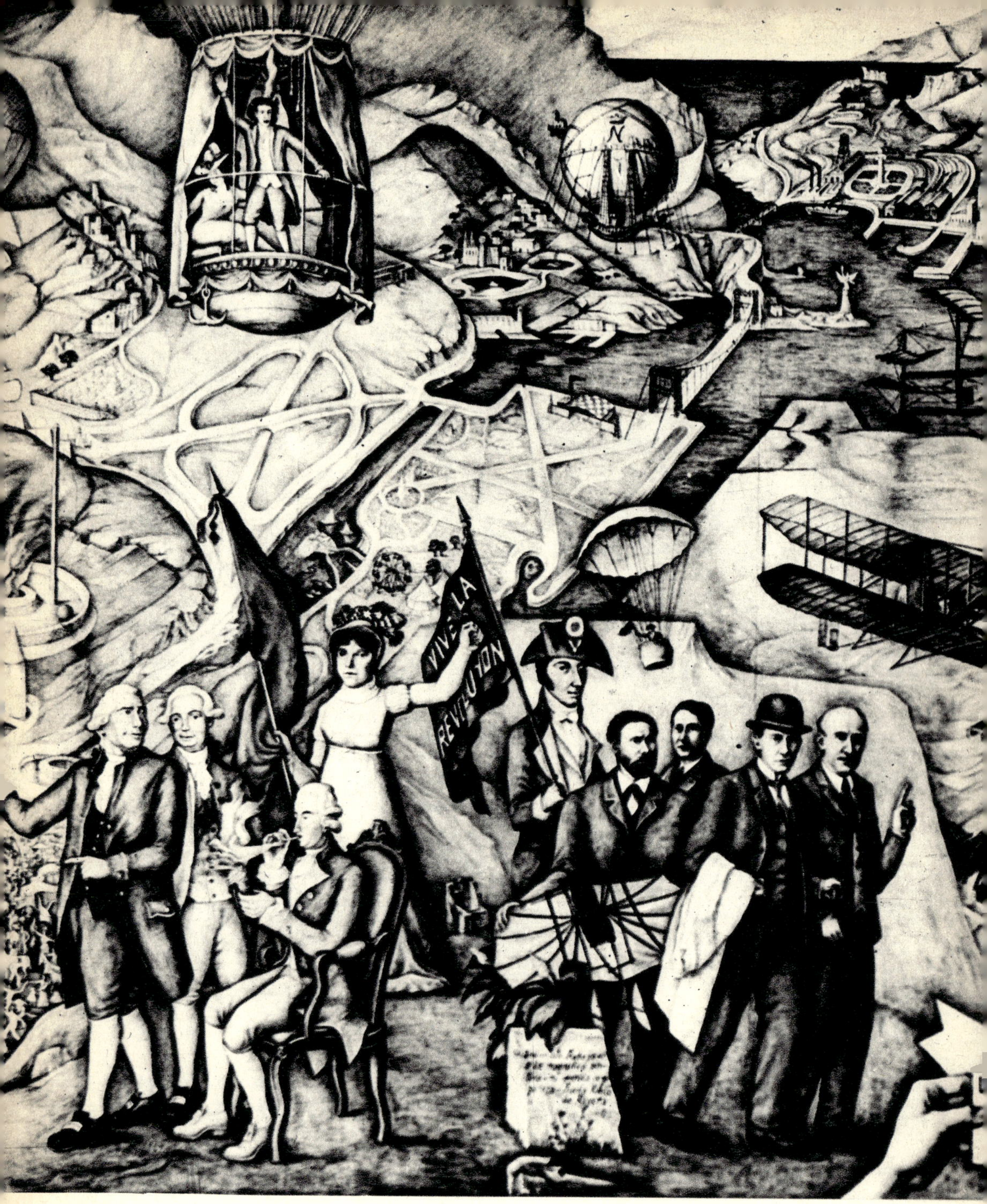
VIVE LA
REVOLUTION

16

17

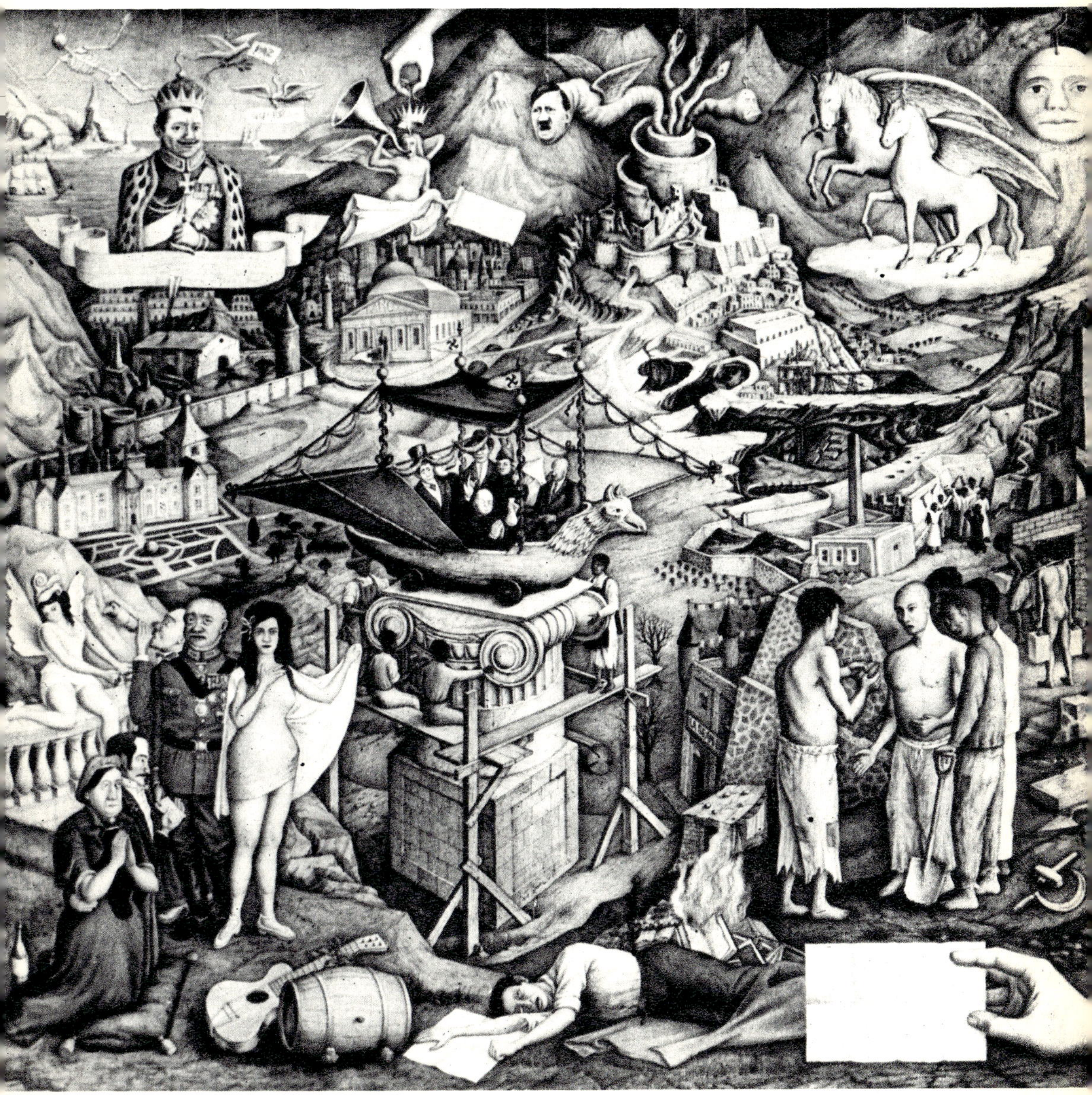

19

20

21

JULIO CASTELLANOS

La lluvia. Oleo. 1946. Col. Ing. Pascual Gutiérrez Roldán. México. (FOTOGRAFÍA DE JOSÉ VERDE).

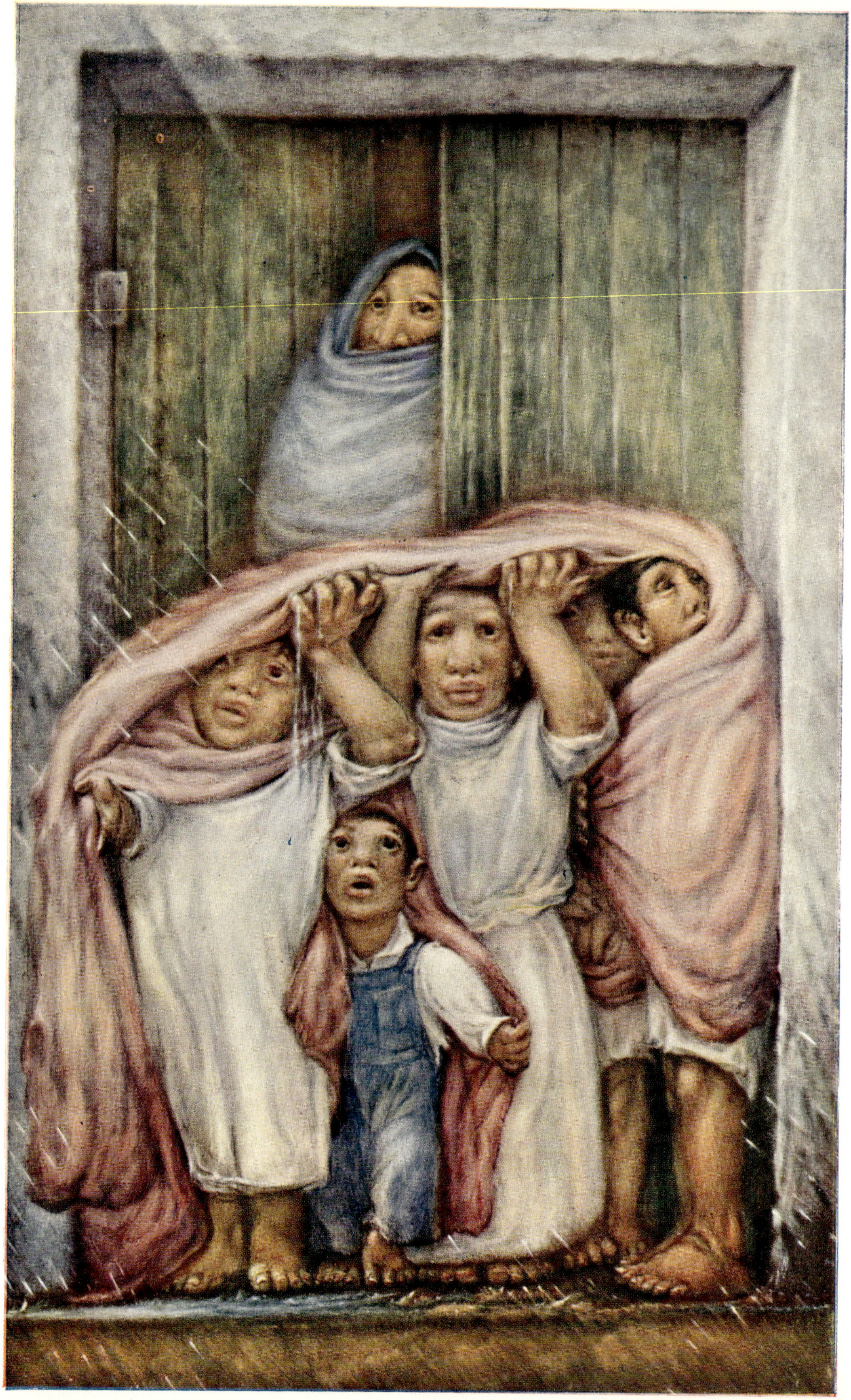

Pinto como el árbol que da frutos como la nube que da sombra.

Julio Castellanos.

"EL pintor moría como un sol al alcanzar el mediodía... como un sol que no supo de crepúsculo de la tarde", escribía de Julio Castellanos en 1949 ese otro astro de órbita inconclusa que fue Salvador Toscano.* Así fue, en efecto, Julio Castellanos murió cuando su pintura había llegado al espacio luminoso de las obras maestras, cuando después de cerca de treinta años de enfrentarse a los lienzos armado de sus pinceles, iba a atreverse tal vez a firmar sus cuadros; no lo había hecho, desde su juventud, por su constante insatisfacción artística: "sólo firmaré —dijo una vez a Toscano— cuando esté satisfecho de mi obra." Acaso nunca más los hubiera firmado. Cuando un artista considera perfecta su creación quiere decir que, o ha llegado al paraíso de la genialidad, o al limbo de la imbecilidad. Y él, eterno buscador de los secretos técnicos del arte, incansable develador de la poesía de la vida, no podía nunca estar satisfecho de su obra, por más que de su caballete salieran cuadros magistrales. Y digo magistrales porque Julio Castellanos era un pintor *maestro;* no el genio, sino el artista de sensibilidad infinita que a base de trabajo serio, de maduración dolorosa, de paciente labor pictórica había llegado, en seguimiento de los grandes maestros, a dominar por completo su oficio, a mezclar en su paleta los colores y las substancias precisamente como él quería para lograr la tonalidad exacta y aplicarlos al lienzo con determinado pincel y en tal forma que la luz y las texturas, la intención expresiva, respondieran íntegramente a la idea creativa.

En la obra de Julio Castellanos —dibujos, óleos, escenografías— puede encontrarse una nota predominante, definidora y definitiva: la ternura. La ternura que, estéticamente, no se ha valorado en todo lo que tiene de trascendental a través de

---

* Salvador Toscano y Carlos Pellicer, *Julio Castellanos.* Monografía de su obra. Editorial Netzahualcóyotl. México, 1952.

los siglos, sino que, por el contrario, ha sido casi siempre relegada por los críticos que parecen avergonzarse al hablar de ella. Sin embargo la ternura ha ocupado siempre un lugar en la expresión artística de todos los pueblos. Y no se diga de las épocas humanistas en que el amor por el Hombre es el centro de la concepción vital del universo —la ternura es el amor contenido, esclavo de la piel de un cuerpo, de los perfiles de unos labios, de la suavidad de unas manos— sino aun en las culturas guerreras dominadas por una religión demoníaca, uno de cuyos máximos ejemplos lo tenemos en nuestra propia historia prehispánica: en Tlatilco encontramos cientos de figuras maternales de arcilla, en Teotihuacán el delicadísimo Tlalocan y entre los totonacas los tiernos rostros sonrientes de barro.

Es esa ternura la esencia poética de la pintura de Julio, el factor que induce al llanto interno ante la obra de arte. No al llanto del drama, sino al del amor. El llanto de Juan Ramón Jiménez, de Saint-Exupéry, de López Velarde.

El verso y las pinceladas se mueven muchas veces al unísono en las dimensiones de la poesía. Un cuadro y un poema encuentran a menudo sus aristas en las esquinas luminosas de la identificación. De ahí que los versos tengan color y las pinturas poesía.

La límpida ternura de las obras de Julio Castellanos evita en ellas cualquier sensualidad. Y me refiero concretamente a la sensualidad erótica presente en las obras de Praxiteles y Lisipo, de parte de los escultores góticos, de Miguel Angel y de Goya, de Delacroix, de Renoir, de Lothe, de Rivera. Maravillosa sensualidad sublimada por el arte. Tienen, sí, la sensualidad apasionada de la materia; el goce intenso de la línea y del claroscuro en el dibujo; el sentimiento de la pasta del óleo en los lienzos, trabajada siempre con el entusiasmo y la sabiduría del verdadero pintor con pinceles de todas formas y de todas clases, con el trapo y la yema de los dedos, con esa insistente caricia de la textura lograda como lo hacen, a escondidas, los visitantes de los museos y exposiciones.

Julio Castellanos fue un dibujante finísimo. El lápiz, el crayón o el suave carboncillo se deshicieron en el papel o en la piedra litográfica con una soltura cuidadosa que tiene mucho del aliento vital de un dios menor, creador del paraíso artificial de esos mundos en blanco y negro en donde los cuerpos de adanes y evas contemporáneos destacan su presencia inevitable. Dibujo preciso, de perfiles definidos y sombras tenues en los que las enseñanzas de la Academia —a donde entró a los trece años, en 1918— fueron superadas gracias a la libertad que adquirió en su contacto, amistoso y de taller, con el pintor Manuel Rodríguez Lozano, aparte de su personal tendencia por captar los más palpitantes aspectos del cuerpo y de los rostros humanos.

Los primeros cuadros al óleo que exhibió —en Argentina, en 1925— muestran la influencia del Rodríguez Lozano de esas épocas, en la manera como trata las telas, rígida, secamente, y en la presencia agresiva de las losas y los ladrillos que sirven de piso o de fondo en los cuadros. Sin embargo no se deja, en ellos, dominar totalmente por la influencia. Su sensibilidad hacia la materia colorística le obliga a buscar texturas en los paños, luz en los volúmenes y expresión en las líneas de los rostros. No puede evitar que su personalidad se desborde llenando de vida apacible, pero intensa, a sus personajes. Es siguiendo este camino que en la exposición colectiva presentada en México en 1928 por el grupo de "Contemporáneos", sus obras son tan propias ya, tan peculiares, que aun ahora no pueden clasificarse sino en el imaginario "salón" de su personalidad artística. En *El tocado* perdura de su época anterior cierta rigidez en el dibujo, el color aparece recortado bruscamente por afilados perfiles. Los colores, directos, apenas matizados por las sombras, están tan suavemente combinados que gracias a ellos se siente la presencia del aire en la pintura. De esta combinación cromática, así como del tipo indígena de las dos mujeres que aparecen peinándose, se desprende una latencia que, sin alardes, llena de mexicanidad el cuadro. Es un mexicanismo inmanente que ahora, con la perspectiva del tiempo, puede valorarse en ese su profundo sentido que entonces no fue comprendido: Castellanos pertenecía a ese grupo de "Contemporáneos" que Diego Rivera pintó, en uno de sus murales en la Secretaría de Educación, despreciados por el pueblo por europeizantes.

Es el mismo carácter el de *El baño* —una mujer deja caer el agua de una jícara sobre la cabeza de una niña— sólo que aquí el dibujo es más fluido y redondo, más pictórico, menos cortante en los límites de cada elemento formal. En esta misma exposición presentó su *Maternidad*, cuadro en que se define como pintor de los sentimientos profundos, de la emoción controlada. Los accidentes provocados en el óleo hacen vibrar de luz las células enamoradas de la madre y de su hijo, las telas encubridoras del íntimo cariño materno. El fantasmón inevitable del gran Picasso comienza a surgir en la jarra pintada en uno de los ángulos. Es natural que la inquietud de Julio buscara una enseñanza más y para ello eligió al mejor maestro de la modernidad.

Buscó las libertades de Picasso y las halló en ese *Adán y Eva* (1929) que se toman del brazo frente a una ventana. Sin la divina sensualidad de los desnudos picasianos —ya dije que su ternura va por otros senderos— Castellanos inicia con este cuadro una nueva etapa que será la de la última influencia, llega al lindero de la definitiva creación, al umbral de la plenitud artística. Esos serios desnudos del hombre y la mujer, tan inocentes que parecen no saber de la concupiscencia, constituyen el ensayo, la búsqueda con hallazgo, de la pintura vulnerable al desnudo. Castellanos aprendió de Picasso y lo abandonó para pintar por su parte las mujeres mestizas de su pueblo. Apenas si ha quedado una sombra del maestro en *El desayuno* (1930) y *Las tías* (1933). Sus madonas ostentan el tipo robusto de la mujer nativa. La luz juega en los senos, los brazos y las piernas con un afán revelador del entusiasmo corporal, pero aun aquí —ese insólito momento de sensualidad en su obra— se escabulle de la noble estética de la feminidad sexuada volviendo sus ojos a su infalible, insustituible, inevitable ternura, empleando para ello los ingenuos desnudos de unos niños.

Pero ha llegado el momento de su encuentro consigo mismo, el momento del orto a la rotunda originalidad. La *Cabeza de mujer* que pinta luego (1934) es la primera obra maestra, la indiscutible, la que guarda en la línea, en el tratamiento pictórico, en el carácter expresivo y el ambiente todo del cuadro, las características esenciales de su arte. Estupenda cabeza pensativa de una indígena lánguida que vive ya la inmortalidad artística.

Fue por estas épocas que pintó un mural —el primero y el único— en una escuela primaria de Coyoacán. El tema de este fresco va de acuerdo con el destino del edificio: *Juegos infantiles*. Los bocetos se cuentan por decenas, en dibujos preciosos sometidos a la cuadrícula de la composición. En definitiva quedaron pintados dos murales, uno en el cubo de la escalera y otro, frontero, más pequeño, dividido por el hueco de una puerta.

Los niños que pintó allí Julio Castellanos —escaso pelo, ojos grandes y brillantes— son tan bellos, su tipo infantil le salió tan del alma, que hasta sus mismos hijos, que nacieron después, se parecen a ellos. El tratamiento pictórico, muy simple, mesurado en su cromatismo, tiene cierta relación con el que Diego Rivera empleó en la planta baja de la Secretaría de Educación. Sin embargo el dibujo, definidor de los perfiles, tan primordial en la factura de estos murales, tiene la misma calidez, el mismo sentido plástico que en las obras al óleo que hizo por los veintisiete.

En el cubo de la escalera los niños se entretienen manteando a un cura ensotanado y a un diablo de ojos saltones que les saca la lengua. Las cuerdas tensas, los brazos y las piernas de los pequeños que se caen de regocijo, marcan el equilibrio de la composición lineal del muro.

En el fresco frontero los muchachos retozan entre ellos mismos: dos niños campesinos levantan por los aires al hijo de un obrero en un ambiente colorístico de blancos, de azules y de grises en donde resalta, armónicamente, el manto rojo de otro pequeño más que espera la caída de su compañero. Sobre la puerta, un muchacho tendido salpica con su grito la palma de sus manos para llamar a dos de sus amigos que acarician, amorosamente, el mechón de un hermoso caballo echado en la parte restante del mural.

Con *El diálogo* (1936) Castellanos cierra el ciclo de sus cuadros al óleo de grandes dimensiones. La maestría es ya total. El dominio del oficio de pintor está patente en cada pincelada —él aún no lo creía, hermosa y natural actitud en todo gran artista— y en los haces de sol que hieren la penumbra del cuadro. Se trata de un soldado, el raso "Juan" del pueblo, que abandona a su mujer desnuda sobre el lecho. Carlos Pellicer, el poeta, ha observado que Julio, "como todo gran pintor, creó un tipo humano que se caracteriza por la forma de los ojos y de la nariz, así como por la forma del cráneo". Este soldado es el tipo masculino por excelencia de los cuadros de Castellanos, tipo mexicano "hasta las cachas". Sus modelos estaban en las calles, en todos los mercados; podía ser el gendarme de la esquina o el cargador del barrio. "Entre el barullo de la pintura social —agrega Pellicer— Julio Castellanos sonríe con necesaria sonrisa. También él participó en ella."

Sabio amante del óleo, pintó sus cuadros pequeños. ¡Grandes cuadros pequeños! El humano caos de alberca en *El día de San Juan:* los nadadores chapoteando su *crawl* en las aguas azuladas, haciendo estallar la superficie al contacto de sus cuerpos morenos o aferrándose a la orilla salvadora con sus rostros fatigados; mujeres y hombres desnudos secando su pecho o su espalda bajo los rayos de un sol crepuscular; la venus pudibunda que seca su cuerpo tiritante con un albo manto caracolado. Agitada composición la de este cuadro, surgida de su barroco espíritu de pintor mexicano. A este mismo impulso responde su *Bohío maya*, episodio de la vida cotidiana de una gran familia campesina de Yucatán: la madre descansa en su hamaca bajo la sombra clemente de la choza, mientras los chicos persiguen mariposas en las ramas oblicuas de una ceiba; las visitas, de pie, matan charlando el ocio de la tarde. Maravilla de claroscuros. Intensa algarabía plástica de ese ambiente nativo que tiene la misma dinámica, el mismo vitalismo que los cuadros de Brueghel en su ambiente flamenco.

Tal vez el más poético de los cuadros de Julio Castellanos sea *Los ángeles robachicos*. Sublime imagen de la muerte infantil que heredó la luminosidad lunar de la *Santa Ursula* de Carpaccio: mientras los padres duermen su sueño de pobreza, un ángel hurta al niño dejando sin calor la cuna miserable; otro ángel cuida, cerca de la ventana, que nadie observe el celestial delito. Ningún pintor en México ha logrado ese ambiente de penumbra que Castellanos puso en sus cuadros y sobre todo en éste. Ninguno tampoco ha creado tan intensa poesía con el lenguaje pictórico de la luz.

Y la ternura, la inefable ternura de Julio Castellanos, ¡cómo hiere al sentimiento con sus toques agridulces! Si no fuera tan pintor nunca hubiera logrado conmovernos esa dulce mirada de la madre, que sentada ante una puerta, amamanta a su hijo mientras escucha, de labios de la abuela, la lectura de *La carta* esperada de su esposo bajo la inundante luz del infinito; ni tampoco el *Presagio* de la mujer encinta, que cuenta los meses faltantes con los dedos, sería tan emotivo en sus verdes profundos.

Sólo en una ocasión no fue tierno en su pintura Julio Castellanos: cuando pintó su autorretrato. El espejo circular que muestra cruel, tremendamente, su rostro atormentado, con una mirada atroz que se clava como pedernal de sacrificio en la garganta, es el cuadro dramático de su vida. La tempestad interna de su espíritu estalla en mil fulgores en la noche de su obra. Dos días después que lo entregó, para una exposición de autorretratos, Julio Castellanos murió, así, crucificado, en el madero inolvidable de su caballete de pintor.

ILUSTRACIONES

1. *Autorretrato.* 1947. Oleo sobre madera entelada. 35.5 × 27.3 cm. Col. Museo Nacional de Artes Plásticas.
2. *Retrato de Xavier Villaurrutia.* Dibujo a lápiz. 25 × 19 cm. Col. Familia Villaurrutia.
3. *Retrato de Manuel Rodríguez Lozano.* 1925. Oleo sobre tela. 85 × 85 cm.
4. *Retrato.* 1927. Oleo.
5. *Retrato de Antonieta Rivas Mercado.* 1927. Oleo sobre cartón. 135 × 82 cm.
6. *El tocado.* 1927. Oleo sobre cartón. 90 × 90 cm.
7. *El baño.* 1928. Oleo sobre cartón. 105 × 85 cm.
8. *Maternidad.* 1928. Oleo sobre tela. 120 × 80 cm.
9. *Adán y Eva.* 1929. Oleo sobre tela. 105 × 55 cm.
10. *El desayuno.* 1930. Oleo sobre tela. 160 × 120 cm.
11. *Las tías.* 1933. Oleo sobre tela. 153 × 121 cm.
12. *Cirugía casera. Litografía.* 46 × 27 cm.
13. *Los ángeles robachicos.* Oleo sobre tela. Col. Museo de Arte Moderno de Nueva York. (FOTOGRAFÍA DE SOICHI SUNAMI).
14. Mural en la Escuela Primaria "Héroes de Churubusco". Coyoacán, D. F. Fresco. 1933.
15. Mural en la Escuela Primaria "Héroes de Churubusco". (Fragmento).
16. Mural en la Escuela Primaria "Héroes de Churubusco". (Detalle).
17. Mural en la Escuela Primaria "Héroes de Churubusco". (Fragmento).
18. *Cabeza de mujer.* 1934. Oleo sobre tela. Col. Lola Alvarez Bravo.
19. *El diálogo.* 1936. Oleo sobre tela. 118 × 118 cm. Col. Museo de Arte de Filadelfia.
20. *El día de San Juan.* 1937. Oleo sobre tela. 40.6 × 48.2 cm.
21. *El bohío.* 1945. Oleo sobre tela. 55.5 × 70.8 cm. Col. Museo Nacional de Artes Plásticas.
22. *La carta.* 1945. Oleo sobre cartón entelado. 49 × 31.5 cm. Col. Sr. Bruno Pagliai. México, D. F.
23. *Presagio.* 1939. Oleo sobre tela. 60.5 × 46 cm. Col. Zita Basich.

FOTOGRAFÍAS DE LOLA ALVAREZ BRAVO (EXCEPTO LA NÚMERO 13)

1

2

3

4

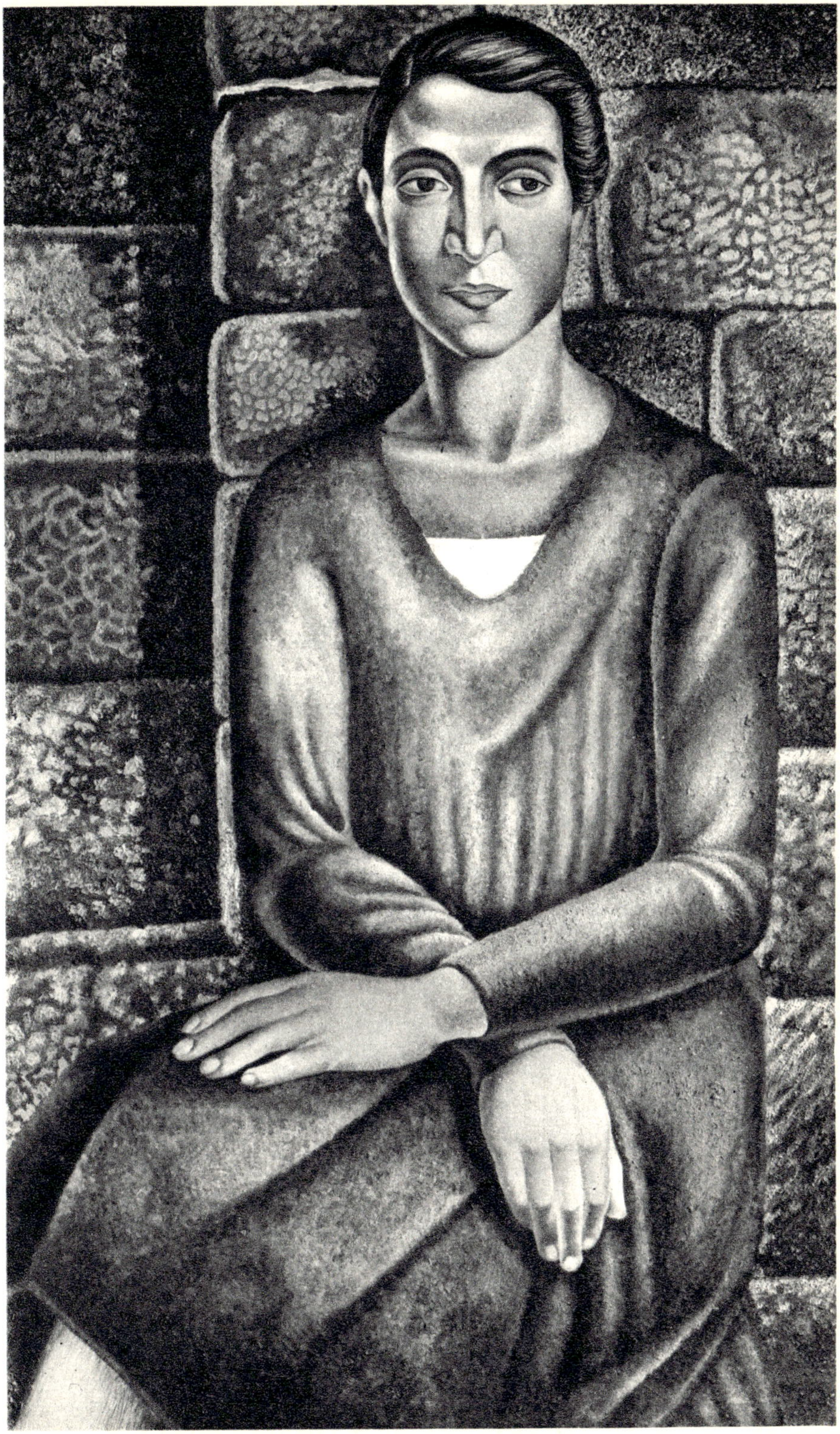

6

7

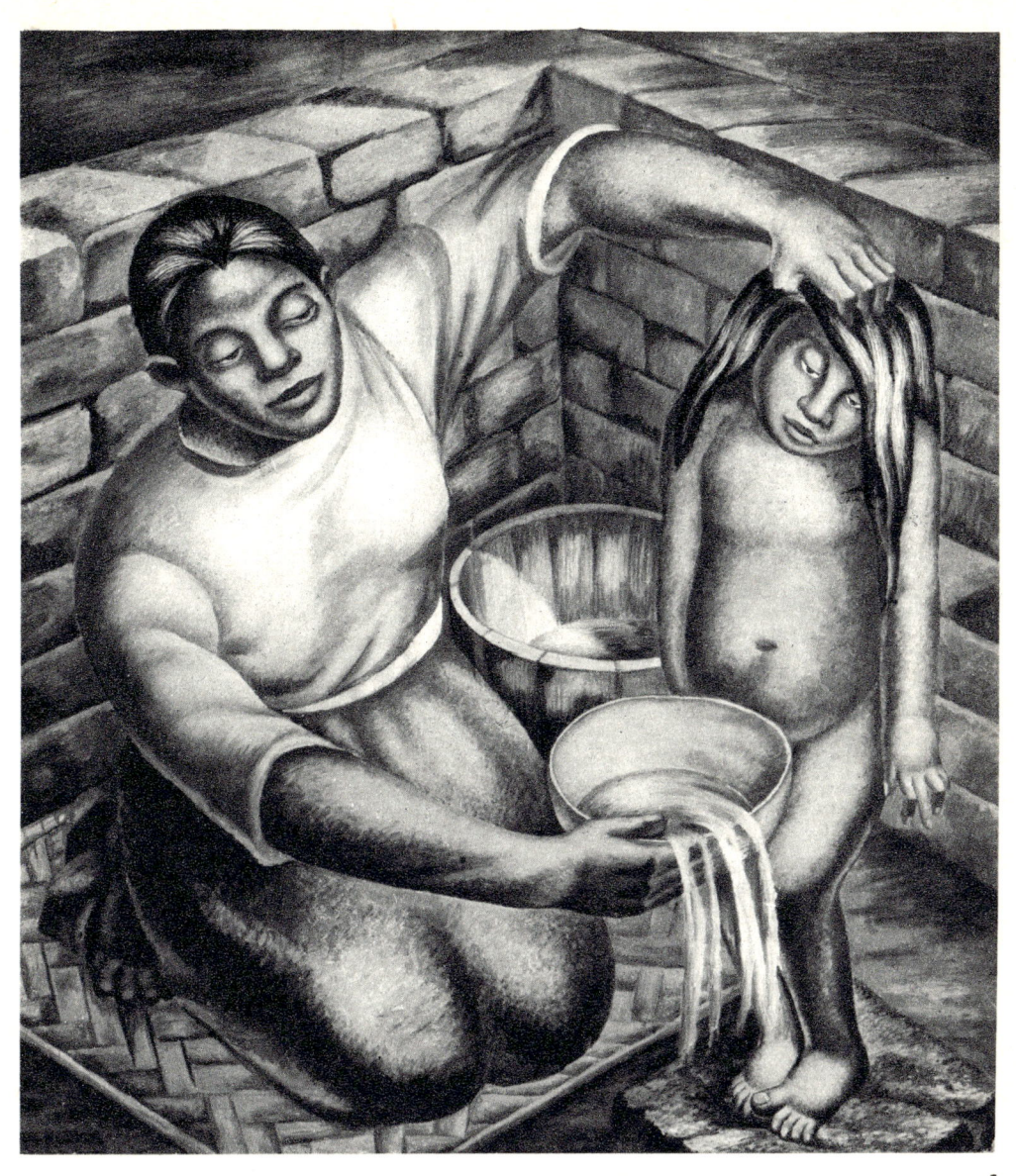

8

9

10

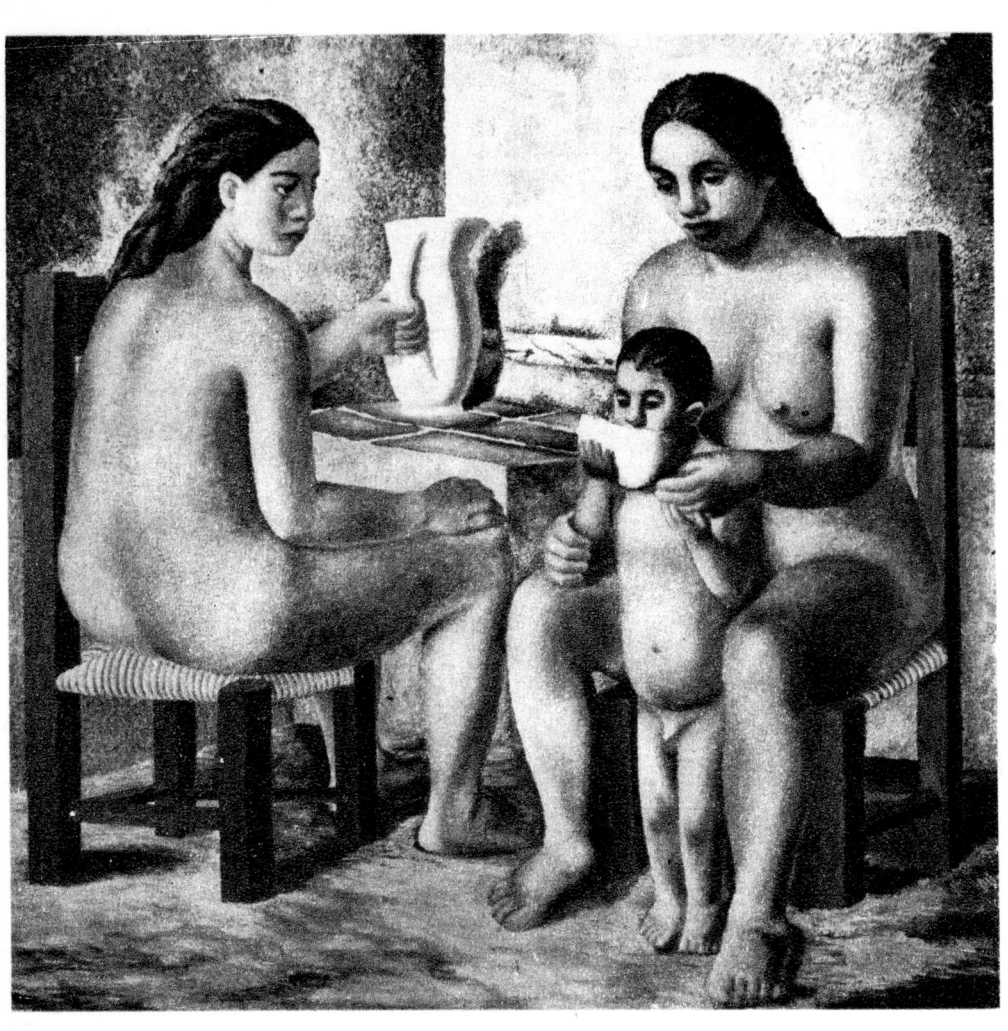

11

12

13

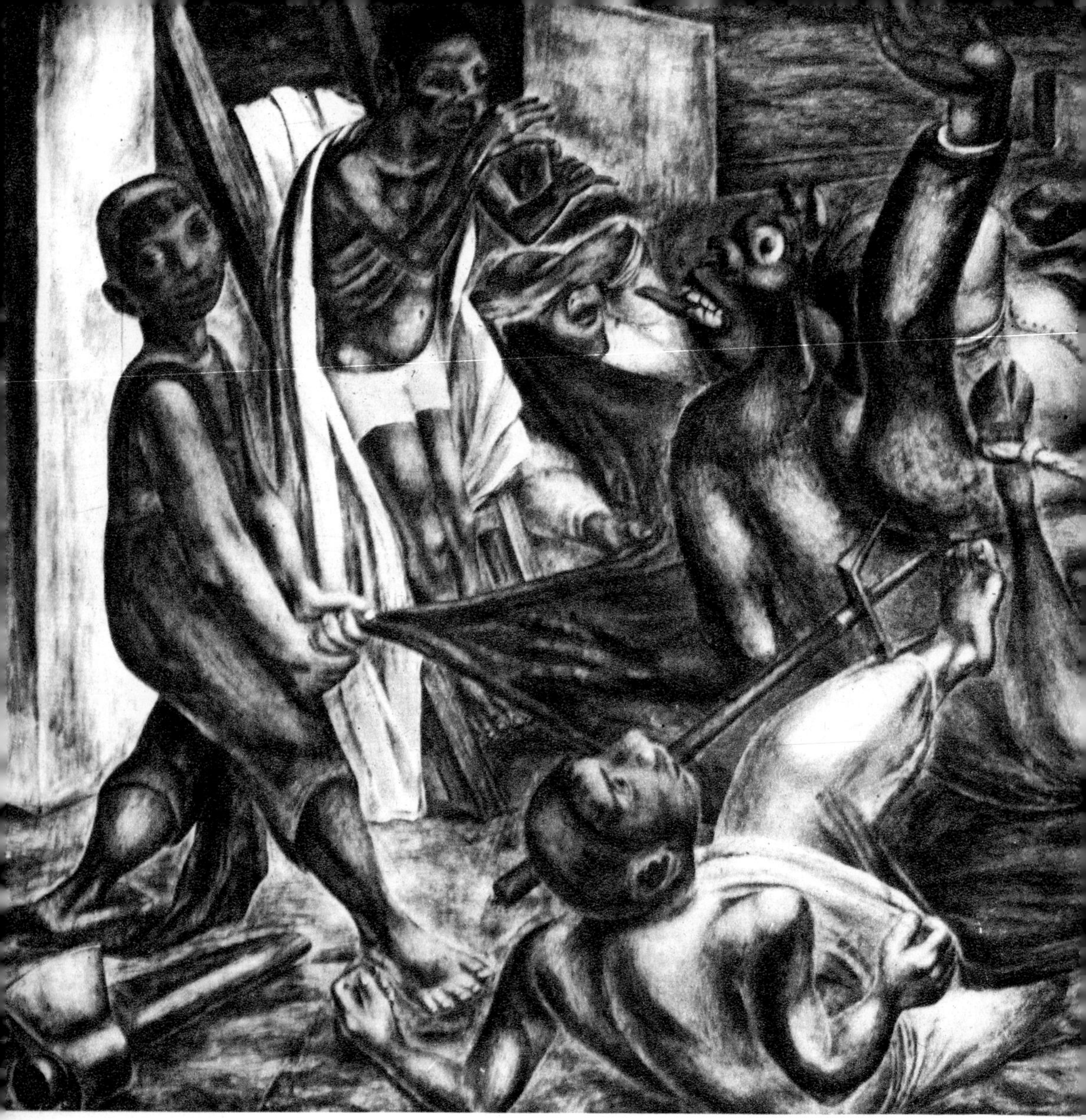

14

15

16

17

18

19

20

21

22

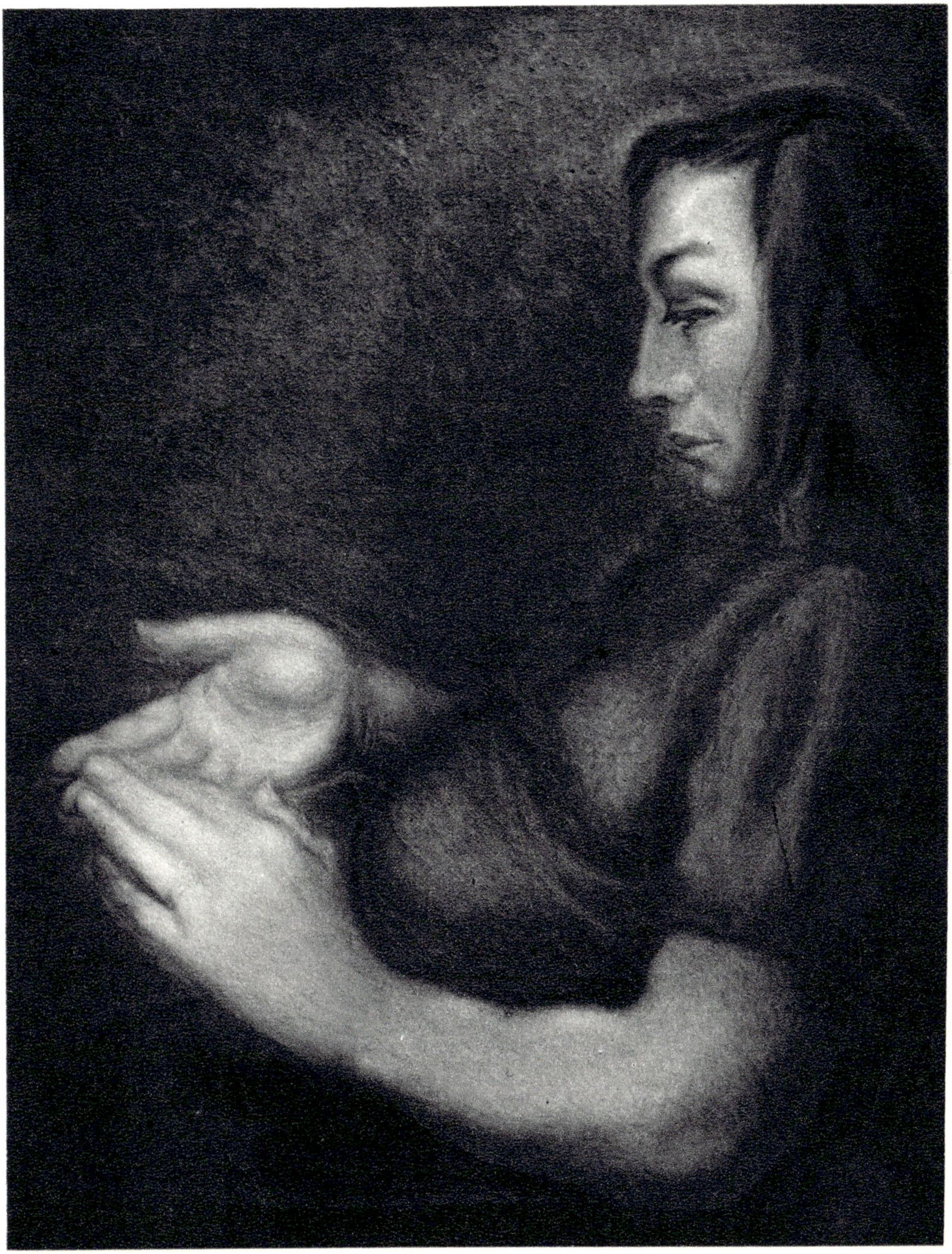

JESUS REYES FERREIRA

Gallo. Gouache. 1956. Prop. del pintor.

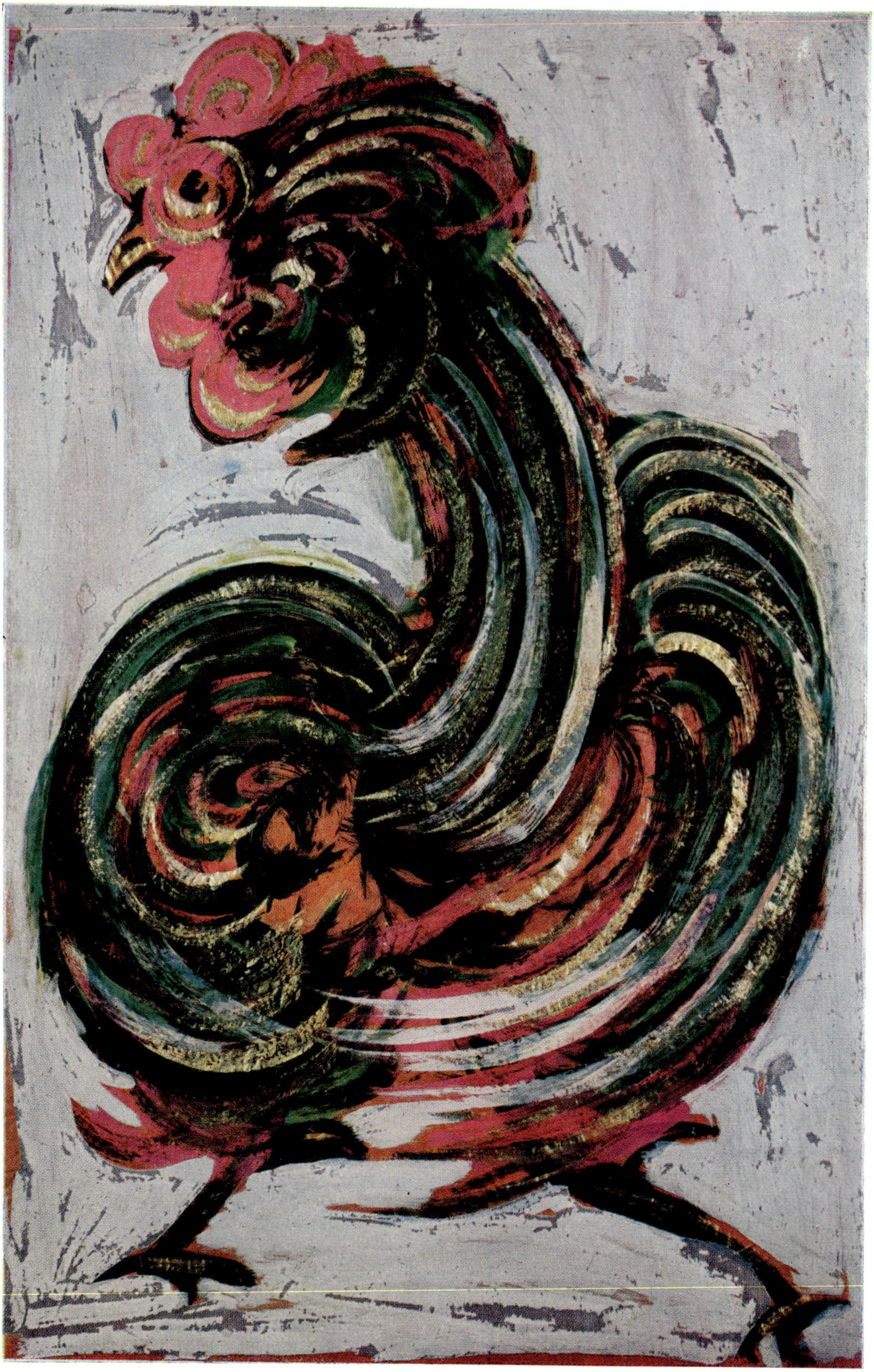

Si buscamos qué es lo que en verdad conmueve a la humanidad, nos encontraremos que no es ni lo que interesa, ni lo que convence, ni siquiera lo que edifica, sino aquello que encanta y maravilla.

Eugenio Fromentin.

L a puerta de la casa porfiriana en donde vive Chucho Reyes está en ruinas.
El dintel no pudo soportar el peso de las antigüedades que ocupan los cuartos del piso alto y se hizo necesario apuntalarlo con gruesas vigas. El patio de esa casa, mexicanísimo, bordeado de verdeantes macetones, está ahogado por los corredores repletos de esculturas, de botellones espejeados, de enormes relojes de arena, de arcones patinados. Los cuartos —todos los cuartos, con excepción de la sala que tiene sus sillones estilo Imperio para tomar allí el té con las visitas— rebosan libros y cuadros y polvo. Sobre las mesas, contra los muros, descansan tallas en madera del siglo XVI y reproducciones fotostáticas de Picasso; esculturas dieciochescas con sus brazos comidos por la polilla junto a esos cristos sedentes de Rouault dibujados en gruesas líneas negras; pinturas coloniales brillantes por el tiempo y por los dorados olanes del vestido del "niño Dios" junto a los desmesurados armazones de carrizo de un "castillo" pirotécnico impotente, armazones que son el delirio de Chuyo Reyes desde cuando, siendo niño aún, frecuentaba con sus ojos desorbitados por la curiosidad, los oscuros cuartos de la cohetería que, justamente, llamaban en Guadalajara "El Rincón del Diablo".

En un rincón del patio se amontonan las tazas de porcelana llenas de líquidos de colores: son los *gouaches*, diluidos por el agua de la lluvia que escurre de las marquesinas. Allí cerca están los pinceles, el papel y los trapos sucios del artista. Y también el rayo del sol que secará la pintura recién hecha colocada sobre las baldosas del piso.

* * * * * * * * * * * *

Jesús Reyes Ferreira —Chucho Reyes: qué estupendo nombre de corrido— lleva la provincia en el alma. Su infancia jalisciense lo llenó de México de tal manera que llegó un día en que necesitó desbordarse de algún modo y lo hizo a través de la pintura. Es por eso que su arte es tan mexicano en su esencia, en su forma. Sin embargo, no es el suyo un mexicanismo intelectual y obligado, sino espontáneo y natural. Si no fuera por sus actividades y sus experiencias citadinas podría tal vez hablarse de él como de un artista popular, porque, además, Chucho Reyes nunca ha pensado que se pueda comerciar con su arte. Pinta porque goza infinitamente llenando de formas y colores ese papel, fino y ruidoso, que no debiera llamarse *de china*, sino de México, por ser tan del gusto de nuestro pueblo, ese papel que, picado y recortado en mil maneras, parece haber servido desde siempre para llenar los ambientes alegres o luctuosos de las celebraciones populares y que, impunemente, hace acto de presencia en las pulquerías o en los altares con la sonrisa de sus agujeros.

Los *papeles* de Jesús Reyes tienen, en la temática que sirve de pretexto al lenguaje del color, en la soltura de su ejecución, en su libertad de trazo, la resonancia postrera de las viejas tradiciones que la nueva generación está olvidando y que arrancan de un pasado no sólo colonial y cristiano, sino prehispánico e idolátrico, bajo formas sintéticas que ya no podemos designar "primitivas", puesto que han sido y siguen siendo la máxima aspiración de los artistas contemporáneos.

Como el popular, el arte de Jesús Reyes es un arte mestizo, tan amplio en su poesía que no puede aceptar clasificación ninguna; su diferenciada expresividad escapa a la persecución de los buscadores de *ismos* en la pintura. Sin ser arte social, es arte para todos porque es claro y sencillo. Chucho Reyes platica en su pintura de cosas que todo el mundo conoce y ama, en un lenguaje plástico que todo el mundo entiende, por ser el que sirve de comunicación universal entre el hombre y la naturaleza: el color.

"El pueblo mexicano tiene dos obsesiones —poetizó Pellicer— el gusto por la muerte y el amor a las flores". Y Jesús Reyes, nutrido en las hondas corrientes populares de México, gusta de la muerte y ama las flores. Ahí están esas calaveras, jubilosas y felices, contorsionando sus huesos en danzas que nada tienen de ultratumba y adornadas por los graciosos moños que el pintor les ha puesto en la garganta, o aquellas otras que, exhaustas, parecen haberse recostado definitivamente en un campo de color, como si de veras se hubieran quedado muertas. En cuanto al amor por las flores, Chucho Reyes lo hace patente en todas partes. El, que gusta de arreglar los altares y los arcos triunfales en las bodas de sus amigos, dolido de la muerte cotidiana de las flores las lleva al papel, prolongando con el pincel su belleza; y es así que aparecen, con toda la intensidad de su vida vegetal, circundando a sus niñas, ingenuas y rosadas (versión última y personalísima de esas niñas provincianas, de ojos tiernos y vestidos cuajados de olanes, que Estrada nos enseñó a querer en sus retratos del siglo pasado), y no sólo circundándolas, sino cubriendo su cabeza y sus manos a modo de alegres manchas de color, o bien constituyendo ramos estupendos en los que el remolino de los pétalos se destaca sobre un agitado fondo verde.

Viniendo del mundo colorido de las flores, Reyes no puede evitar la tentación de caer en el mundo frutal, fresco y jugoso, de las sandías y de las granadas, de los plátanos y de las uvas, en donde los verdes y los blancos, los rojos y los negros, empleados con una libertad plena de armonía, se reúnen en un alegre cónclave de naturalezas vivas.

Un pintor como Chucho Reyes ¿qué animales pinta? El gallo, claro está, llenando con sus plumas agitadas el máximo espacio posible; en ocasiones será un gallo angustiado, casi agónico, aleteando desesperado en el azul del cielo para sostener su cuerpo conformado por manchas amarillas y negras, enérgicas y audaces manchas llenas de movimiento y vitalidad; o bien un precioso gallo giro, con su vistoso plumaje rojo, verde y negro, erizado por la furia de un próximo combate, los redondos ojos sugeridos por un trazo afortunado que sale de la cresta colorada y los espolones prendidos en el azul añil del firmamento, todo ello en un contraste audaz de policromía; o aquel otro gallo blanco, con ligeros toques de rojo y azul, que elegante y displicente levanta su pico en un gesto de orgullo como mirando al espectador a través del monóculo formado por una prolongación casual de su cresta.

Esa expresión, ese carácter humanizado, aparece en todos los animales que pinta Chucho Reyes con su pincel empapado de pasión naturalista: en ese toro asombrado, de grandes ojos fijos, en que se establece una coexistencia maravillosamente agresiva entre el magenta, el café y el amarillo; en esos caballos de pestañas rizadas que parecen haberse pintado —cuesta trabajo decir los belfos— las mejillas, para hacer su aparición en el escenario del arte; en esos leones dorados que, con una distinción heráldica, se revuelcan rugiendo a carcajadas, ebrios de selva y cielo, en un pálido campo verde, y hasta en esos peces, habitantes de las profundidades de tina azul-negra del océano pintado.

Jesús Reyes nos lleva de la mano en sus *papeles* al colorido ambiente de los circos para ver a la *écuyère* montada en su caballo de Metepec, de crin dorada y pelo de mil tonalidades, o al payaso descuidado que trata de esconder su rostro en el interior de una de sus mangas. Hasta el señor Santiago, animado por los otros cuadros, parece haber dejado los altares pueblerinos para participar de la animación circense y, sin saber a ciencia cierta lo que hace, lanza su caballo de ojos azules y nariz sonrosada sobre un moro, vestido a la usanza del siglo XVI, que duerme, tendido, el sueño de los justos.

Al llegar al hombre, como tema de su original creación artística, Chucho Reyes coincide intuitivamente, respondiendo a un ascetismo tradicional, con la expresión más dramática del arte de la Colonia: los Cristos Sangrantes; esos Cristos que permitieron al indígena, con el pretexto de la crucifixión, revivir el culto ancestral por la sangre. La religiosidad del pintor está patente en sus Cristos distorsionados y patéticos, logrados a partir de una técnica básica que consiste en la aplicación de manchas de color limitadas por líneas negras. A partir de este principio, Reyes realiza infinitas variedades de Cristos realmente impresionantes y magistrales por sus calidades plásticas: morenos Cristos sedentes, de formas corporales apenas definidas, pero de intensa expresión dolorosa; Cristos blancos y verdes, pintados sobre un fondo rojo, que al *craquelarse* han abierto su carne pintada dejando ver sus llagas de papel de china que parecen extenderse hasta el firmamento;

Cristos rosas, cruzados en todas direcciones por la huella de los latigazos de un pincel caprichoso; tal parece que les han lanzado encima el ignominioso frasco de pintura roja de la Pasión.

Este es el arte de Chucho Reyes, sublimación del sentimiento secular de todo un pueblo. En él coexisten, contradictoriamente, el color de las flores, la jugosa apariencia de las frutas, la radiante prestancia de las plumas y las pieles de simbólicos animales, la gracia y la ternura de los niños, con la presencia risueña de los esqueletos presumidos y la profunda dramaticidad de los Cristos ensangrentados. Es evidente que estos *papeles* de Chucho Reyes han surgido de la misma raíz que nuestro gran barroco dieciochesco, esa raíz afirmada y nutrida por un suelo tan fecundo para el arte como es el suelo de México.

I L U S T R A C I O N E S

1. El pintor Chucho Reyes. Fotografía de Nacho López.
2. *Gallo*. Gouache sobre papel de china.
3. *Gallo*. Gouache sobre papel de china.
4. *Los pericos*. Gouache sobre papel de china.
5. *Gallos en pelea*. Gouache sobre papel de china.
6. *Gallo picoteando*. Gouache sobre papel de china.
7. *Caballo*. Gouache sobre papel de china.
8. *El Señor Santiago*. Gouache sobre papel de china.
9. *León*. Gouache sobre papel de china.
10. *Toro*. Gouache sobre papel de china.
11. *Granadas*. Gouache sobre papel de china.
12. *Niña*. Gouache sobre papel de china.
13. *Niño*. Gouache sobre papel de china.
14. *Payaso*. Gouache sobre papel de china.
15. *El adivino*. Gouache sobre papel de china.
16. *Cristo sedente*. Gouache sobre papel de china.
17. *Cristo sangrante*. Gouache sobre papel de china.

FOTOGRAFÍAS DE NACHO LÓPEZ

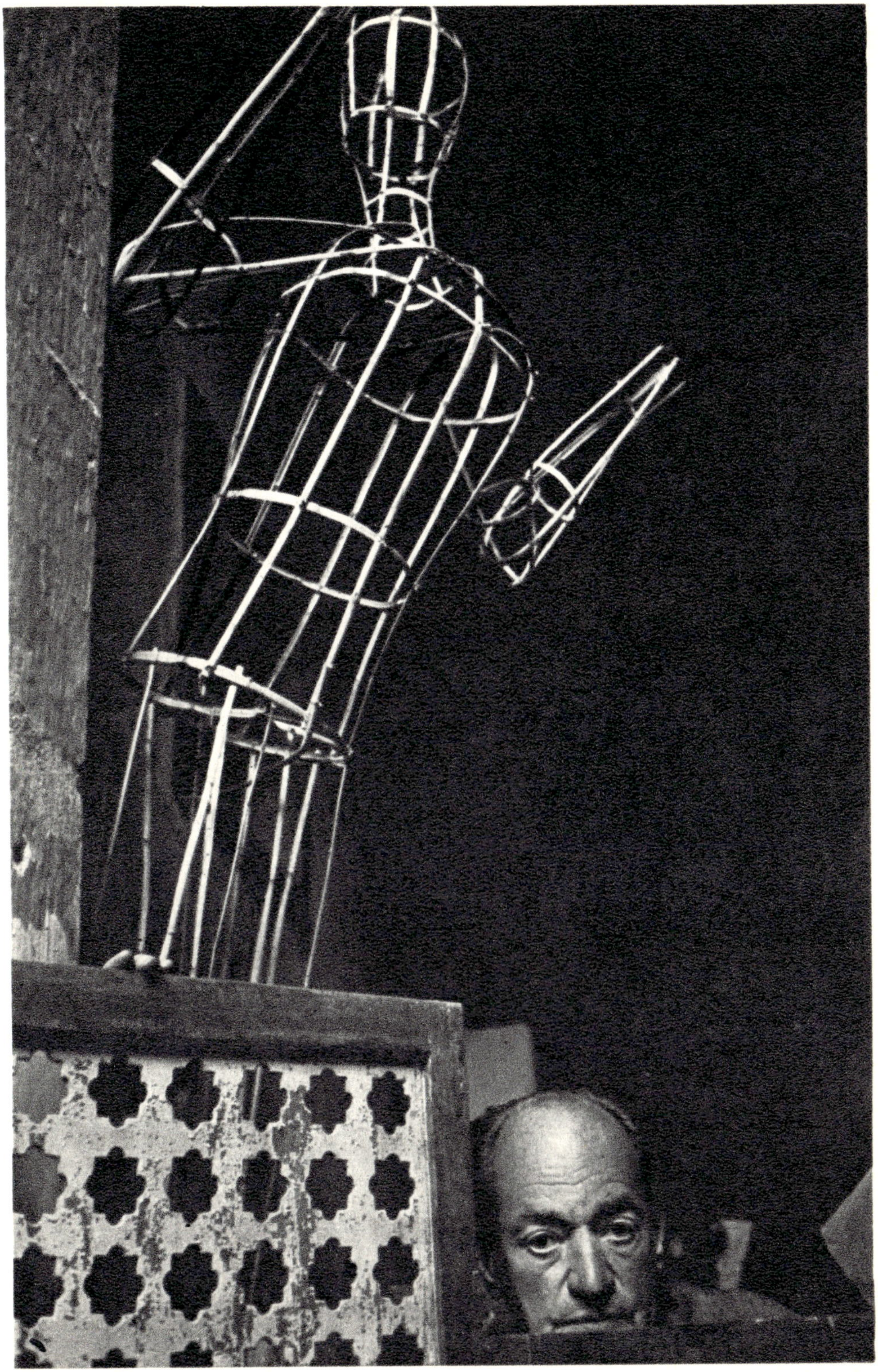

1

7

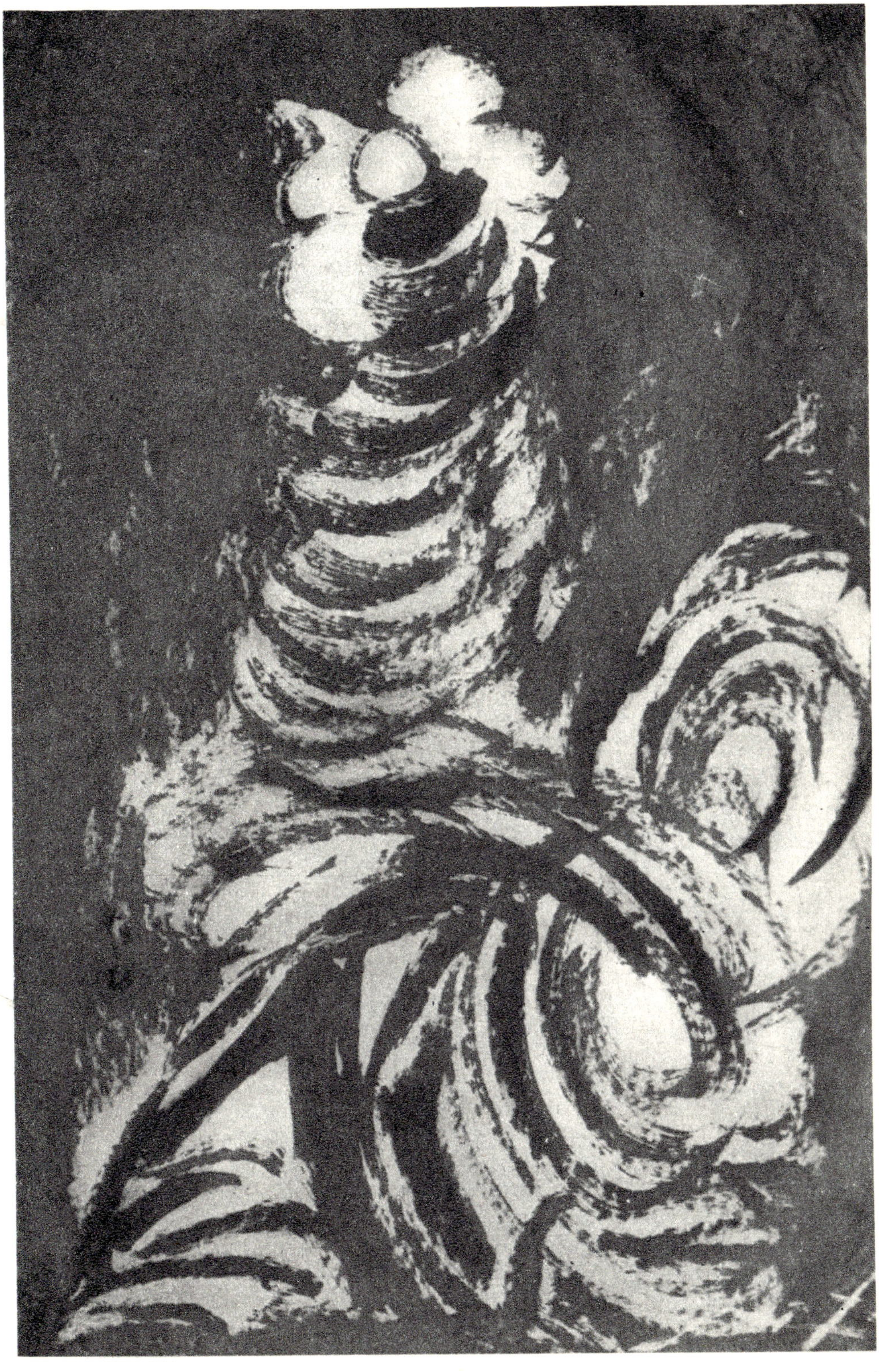

4

5

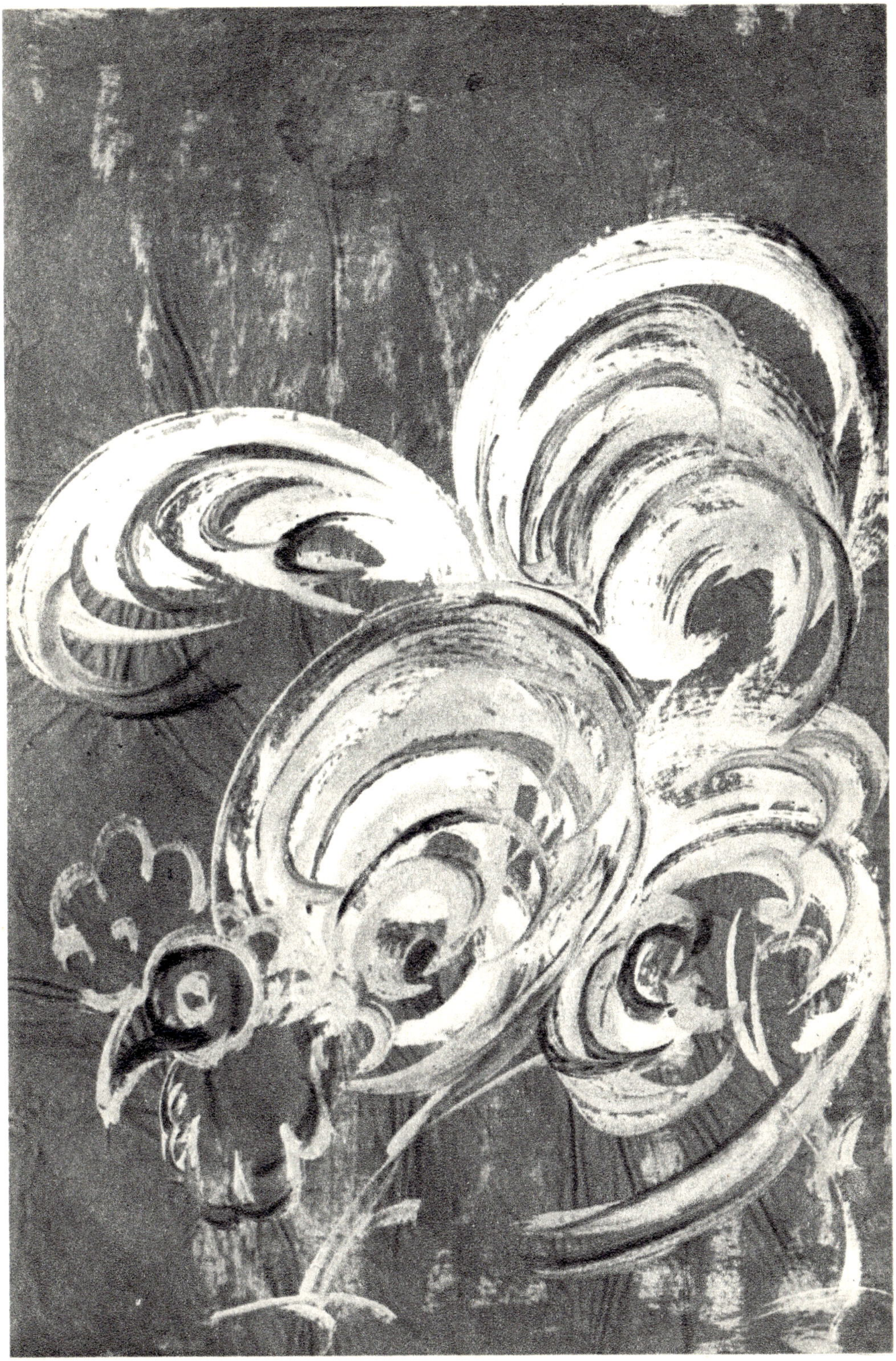

1

8

9

10

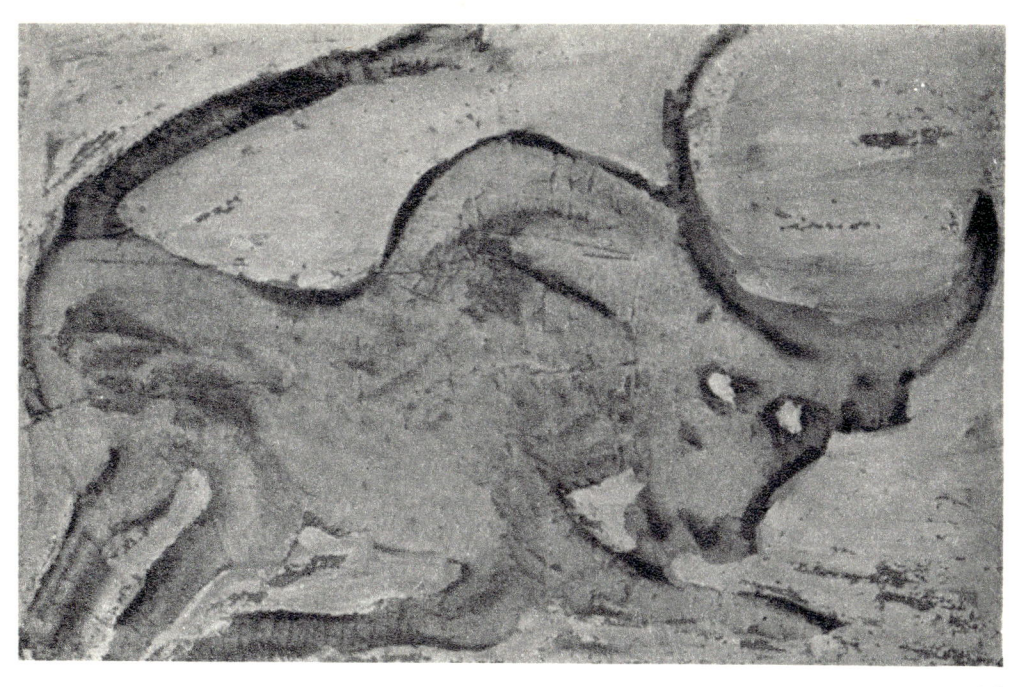

11

12

13

14

15

16

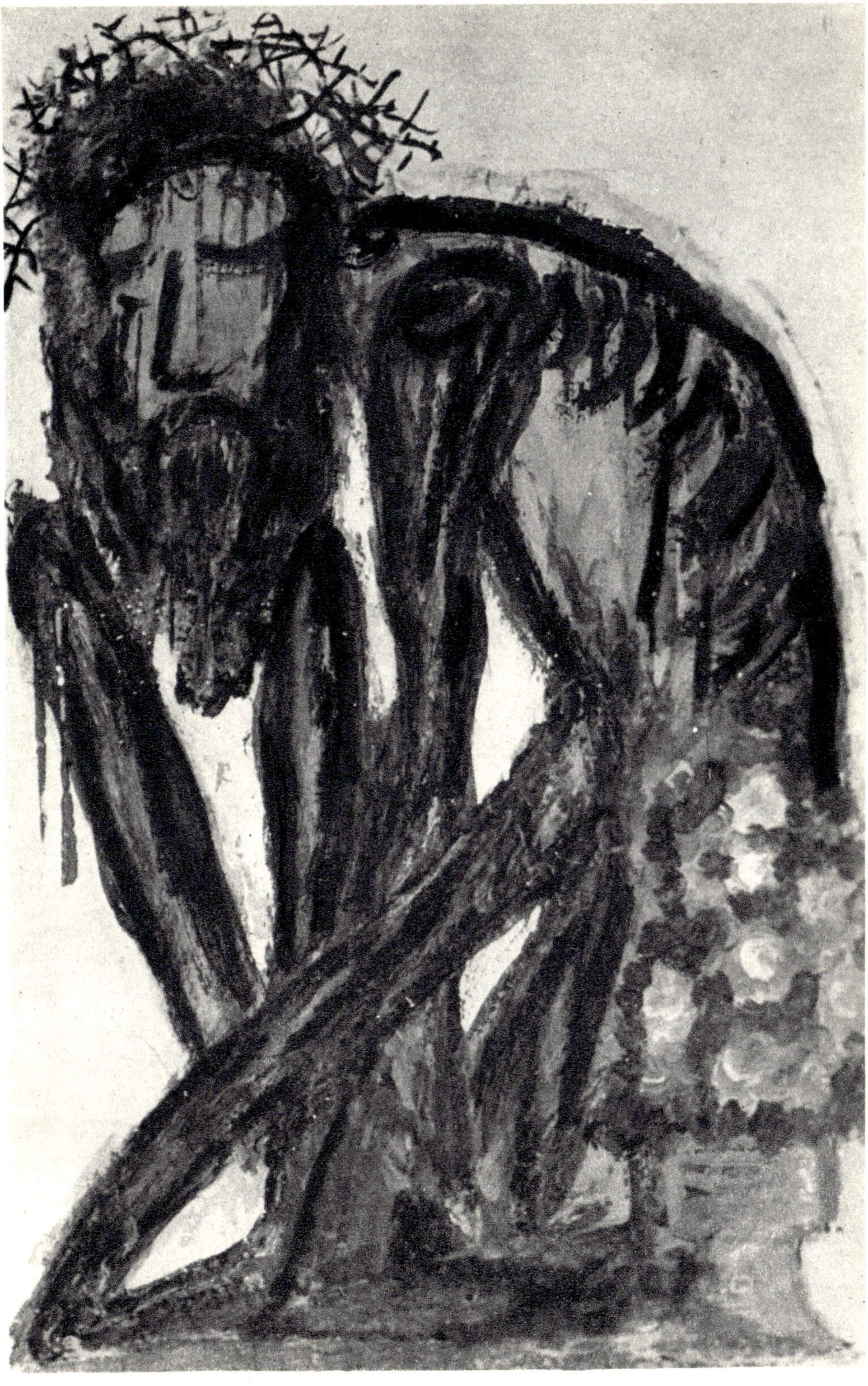

ESTE LIBRO

SE TERMINÓ DE IMPRIMIR EL DÍA 31 DE OCTUBRE DE 1957, EN LOS TALLERES DE EDITORIAL HELIO-MÉXICO, S. A., CONSTANDO LA EDICIÓN DE 3,500 EJEMPLARES EN ESPAÑOL, 1,000 EJEMPLARES EN INGLÉS Y 500 EN FRANCÉS. SE EMPLEÓ TIPO BODONI EN LOS TEXTOS. LAS LÁMINAS SE IMPRIMIERON EN HELIOGRABADO. LAS TRICROMÍAS SE GRABARON EN LOS TALLERES DE FOTOGRABADORES UNIDOS, S.C.L. Y SE IMPRIMIERON EN LOS TALLERES DE LA EDITORIAL FOURNIER, S. A.

La edición estuvo a cargo de

PEDRO ROJAS

Coordinador

y

VICENTE ROJO

Director Artístico